人文武术精品书系

勿使前辈之遗珍失于我手
勿使国术之精神止于我身

陈微明

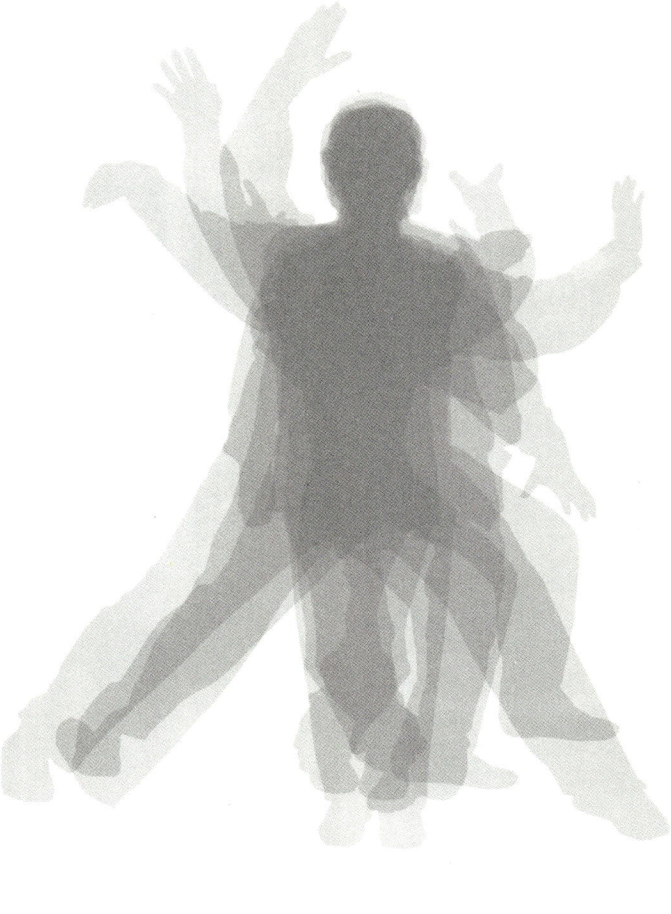

太极答问

武学名家典籍丛书

陈微明武学辑注

陈微明·著

二水居士·校注

北京科学技术出版社

陈微明（1881－1958年）又名慎先，湖北蕲水人，武术名家。光绪二十八年（1902年）科举考中文举人。民国二年北洋政府设立清史馆，他曾任清史馆纂修之职，是《清史稿》作者之一。

他曾从孙禄堂先生学习形意拳和八卦掌，更心慕武当太极拳，遂不介而往拜候杨澄甫先生。澄甫先生欣然允诺，曰『愿得其人而传也』。陈微明学习太极拳时，正值澄甫先生精壮之年，所传功夫极为严谨，动作开展，腰马讲究。陈微明也本着严谨的学习精神，恪守规矩，每一招式都毫厘不差。

太極答問

出版人语

武术作为中华民族文化的重要载体，集合了传统文化中哲学、天文、地理、兵法、中医、经络、心理等学科精髓，它对人与自然和谐共生关系的独到阐释，它的技击方法和养生理念，在中华浩如烟海的文化典籍中独放异彩。

随着学术界对中华武学的日益重视，北京科学技术出版社应国内外研究者对武学典籍的迫切需求，于 2015 年决策组建了“人文·武术图书事业部”，而该部成立伊始的主要任务之一，就是编纂出版“武学名家典籍”系列丛书。

入选本套丛书的作者，基本界定为民国以降的武术技击家、武术理论家及武术活动家，而之所以会有这个界定，是因为民国时期的武术，在中国武术的发展史上占据着重要的位置。在这个时期，中、西文化日渐交流与融合，传统武术从形式到内容，从理论到实践，都发生了巨大的变化，这种变化，深刻干预了近现代中国武术的走向。

这一时期，在各自领域“独成一家”的许多武术人，之所以被称为 “名人”， 是因为他们的武学思想及实践，对当时及现世武术的影响深远，甚至成为近一百年来武学研究者辨识方向的坐标。这些人的“名”，名在有武术的真才实学，名在对后世武术传承永不磨灭的贡献。他们的各种武学著作堪称为“名著”，是中华传统武学文化极其珍贵的经典史料，具有很高的文物价值、史料价值和学术价值。

首批推出的“武学名家典籍”丛书第一辑，将以当世最有影响力的太极拳为主要内容，收入了著名杨式太极拳家杨澄甫先生的《太极拳使用法》《太极拳体用全书》；一代武学大家孙禄堂先生的《形意拳学》《八卦拳学》《太极拳学》《八卦剑学》《拳意述真》；武学教育家陈微明先生的《太极拳术》《太极剑》《太极答问》。民国时期的太极拳著作，在整个太极拳发展史上占有举足轻重的地位。当时的太极拳著作，正处在从传统的手抄本形式向现代著作出版形式完成过渡的时期；同时也是传统太极拳向现代太极拳过渡的关键时期。这一历史时期的太极拳著作，不仅忠实地记载了太极拳架的衍变和最终定型，而且还构建了较为完备的太极拳技术和理论体系，而孙禄堂先生的武学著作及体现的武学理念，特别是他首先提出的“拳与道合”思想，更是使中国武学产生了质的升华。

这些名著及其作者，在当时那个年代已具有广泛的影响力，而时隔近百年之后，它们对于现阶段的拳学研究依然具有指导作用，依然被太极拳研究者、爱好者奉为宗师，奉为经典。对其多方位、多层面地系统研究，是我们今天深入认识传统武学价值，更好地继承、发展、弘扬民族文化的一项重要内容。

本丛书由国内外著名专家或原书作者的后人以规范的要求对原文进行点校、注释和导读，梳理过程中尊重大师原作，力求经得起广大读者的推敲和时间的考验，再现经典。

“武学名家典籍”丛书，将是一个展现名家、研究名家的平台，我们希望，随着本丛书第一辑、第二辑、第三辑……的陆续出版，中国近现代武术的整体风貌，会逐渐展现在每一位读者的面前；我们更希望，每一位读者，把您心仪的武术家推荐给我们，把您知道的武学典籍介绍给我们，把您研读诠释这些武术家及其武学典籍的心得体会告诉我们。我们相信，“武学名家典籍”丛书这个平台，在广大武学爱好者、研究者和我们这些出版人的共同努力下，会越办越好。

导读

陈微明（1881—1958 年），原名曾德，字慎先。读《离骚》，慕屈原（名正则，字灵均）之为人，易名曾则，改字天均。湖北浠水人，出生在北京一个累世为儒的家庭。

他的曾祖父陈沆（1785—1826 年），原名学濂，字太初，号秋舫，嘉庆二十四年己卯恩科（1819 年）状元，授翰林院修撰，出任四川道监察御史，还担任过广东省大主考，礼部会试考官等。秋舫先生"以诗文雄海内"，与魏源、龚自珍、包世臣等友善，交往甚密。祖父陈廷经（1804—1877 年），字执夫，号小舫。从小随父在京城时，师从魏源（1794—1857 年）课读，通经世大略，道光二十四年（1844 年）甲辰科进士。早年淡于仕进，乐江南山水，徜徉木渎之间，五十始入都，供职擢御史，官至内阁侍读学士，为人耿直，抨弹不避权贵，所劾去者有四督、五抚、六藩司。曾上书具陈边疆各省制外夷之法，弹劾太监安德海奸佞骄横。屡疏荐曾国藩、胡林翼、左宗棠诸人，才可大受。上书设立同文馆、建江南造船厂等。晚年日课金刚经，精易数，感异梦，悟前身事，遂自号梦迦叶居士。父亲陈恩浦

（1858—1922 年），字子青，以国学生捐得中书科中书之职。母亲周保珊（1854—1924 年），字佩云，系前漕运总督周恒祺家的千金。

微明先生，2 岁时随家人回武昌生活。21 岁时，与仲兄陈曾寿、三弟陈曾矩同举湖北乡试孝廉。24 岁，发妻范氏难产离世，同年，科举废止。1911 年，辛亥革命爆发，举家从武昌迁移上海，后又蛰居杭州，漂泊于北京、杭州、上海之间，颠沛流离，国变家难，历经生活的种种磨砺，他的人生轨迹也由此发生了巨大的改变。仿佛一夜之间，微明先生发现二十来年的奋发激励，慷慨有为，统统被时代的洪流荡涤殆尽，他的心思一下子变得虚空宁寂，他不想再向前去往哪里，也不知道哪里才是他应该去的地方；他觉得自己已经在这人世间来来往往走了好几遍，却并不知道哪里才是自己最后的归宿。庄子的“寥已吾志，无往焉而不知其所至，去而来而不知其所止，吾已往来焉而不知其所终”句，“不知其所至”“不知其所止”“不知其所终”，三个不知，三个疑问，彻底地让他反思自己以往的人生之路，也由此深深触动了微明先生的灵魂，从此他以“寥志”为号，内心也开始由儒学而逐渐转入了老庄之道。

他曾在杭州求是书院，担任过舆地学教授，在北京京师五城学堂教过《左传》，去优级师范学校教过国文诸子学。他还担任过清史馆编修，在严复家做过家教，也在胡雪岩的侄儿胡藻青家做过家教。后来遇到完县孙禄堂先生，学得形意拳、八卦掌，遇到永年杨澄甫先生，学得太极拳。从此，太极拳开始真正改变他的一生。后来，他取《老子》“将欲歙之，必故张之，将欲弱之，必故强之”句，以“微明”自号，鬻拳江湖，取《老子》“专气致柔”之意，于 1925 年在沪上创立“致柔拳社”。从此，微明先生以文入武，以武入道，乃至最终走上性命之学的践行之路。

致柔拳社创立以来，社员从十几人、数十人，发展到数百人、数千人；拳社地址，也随着拳社规模的扩充，从原先的福煦路民厚里六百零八号，迁入李诵清堂路二百二十五号，再迁址至七浦路二百八十八号，乃至最后长期租借西藏路四百八十号宁波旅沪同乡会，各类专项培训班、分社也应运而生。譬如山西路二二五号及西武昌路十四号，开设的女子体育师范班、苏州大郎桥巷二十六号陆宅开设的致柔拳社苏州分社、愚园路十六号的女子国术社、莫干山菜根香饭店后所设立的致柔拳社莫干山分社、致柔拳社广州分社等等，前后师从他学拳的人不下万人。沪上工商界、文艺界精英、党国政要，乃至市井商贾、负贩狗屠，汇聚在他的拳社，“自贵人达官、文儒武士、工商百业、僧道九流、舆台厮卒、中外国之士女从之游者，无虑数千人”，“陈微明”三字，几乎成了沪上、乃至大江南北喜好太极拳者所心仪之名号，“致柔拳社”的招牌也成为他们所神往的圣殿。吴志青《太极正宗》一书盛赞微明先生：“广事授徒，大有孔门之盛况，并著《太极拳术》一书风行全国。盖此时代，可谓太极拳之黄金时代也。”孙禄堂先生在沪上，曾公开对武术界各派人士说，倘若不是陈微明创立致柔拳社，提倡武术，怎么可能有而今这样发达的局面呢，“吾人皆应感激微明之意也”。陈微明先生与他的致柔拳社，为民国年间开太极拳之盛，厥功至伟。

分别刊行于 1925 年、1928 年、1929 年的《太极拳术》《太极剑》《太极答问》三书，是微明先生总结拳学理论以及教学经验而编著的教材。在微明先生看来，内家拳，术技也，而源于道，“明乎道者，其学易而功深，非鲁莽躁急者，所能强为也”，尤其是此太极拳三册专著，阐明“专气致柔”之旨，动静交修之法，书成风行，一版再版，洛阳纸贵，成为当时太极拳界经典的拳学著作。

《太极拳术》，由郑孝胥题签书名。版权页署：著者陈微明，发行者致柔拳社，印刷者为中华书局。代售处为：大马路华德钟表行、棋盘街启新书店及各大书坊。版权页不署版次，所以无从确知初版的年月以及再版的版数。孙绍濂序言称：“先生蓄道德，能文章，曾任清史馆纂修，以杨先生口授之太极拳，笔述成书，多所阐发，稿赠杨先生以酬答之。杨先生藏之数年，不以付梓。余与秦君光昭、王君鼎元、岑君希天闻之，请先生怂恿出之，以传于世。先生书往，杨先生欣然寄稿，并图五十余幅”。由此看见，此书应该是微明先生在北京，向杨澄甫老师学拳时所编著，原本是为报答杨澄甫授拳之恩，而将书稿赠予杨澄甫老师的。后来一方面因为杨澄甫老师得此稿后，也没有出版的计划，另一方面，微明先生在沪上开设致柔拳社之后，学员也急需教材，孙绍濂与秦光昭、王鼎元、岑希天等早期的学员，就“请先生怂恿出之”。于是微明先生写信给杨澄甫后，杨澄甫老师便将书稿寄了回来，并且还附上了杨澄甫老师五十余幅中年拳照。由此可知“乙丑六月”（1925 年 6 月），应该是微明先生收到杨澄甫老师书稿的时间。

1925 年 10 月 3 日，《申报》刊陈志进先生撰稿的新书出版预告，云：“太极拳术，为却病延年最无流弊之运动，自广平杨露禅先生至京师传授弟子，学者渐多。然中国武术传授之际，师徒之分极严，心有不明，不敢问也。必须为师者高兴之时，为弟子说其大意。杨少侯尝言，往往年余只能见其伯父班侯练习拳架一次，实难以揣摩。故杨氏所授之弟子，派衍流传，其拳架又微有出入，盖已不能得其正确之姿势也。惟健侯幼子澄甫，因钟爱，故极用心教授之。故欲学太极拳之正确姿势，当以澄甫之拳架为准。以其开展中正，处处动腰，无微不到也。陈微明君从学于澄甫先生，精研者七八载。而近世风气与前大不相同。往时学拳者，多属不字之辈。只知下苦功，不知用脑力。太极拳精微奥妙，非用脑力，不能得其深意。微明君以文人，注意于此，澄甫又加以青眼。问省既格外详细，传者自不能不悉心指导。微明遂将澄甫先生口授之太极拳术，笔之于书。又请澄甫亲自摄影，其缺者，微明又补照之，又与余合摄推手之图，共六十余幅，加以说明，至详且尽。又将王宗岳《太极拳论》，详加注释，微妙之理，发衅无余。现付中华书局刷印，不日即可出版。余知此书之出，拳术界当放一大光明也，特不惮烦，介绍于世之好武术者。”

1925 年 10 月 19 日，《申报》接杭州中华书局来函，发布“武当嫡派《太极拳术》出版”的书讯，称：“此书乃广平杨澄甫口授，鄂陈微明笔述，内有钢版图式六十余幅，加以说明，至精至详。后附王岳宗《太极拳论》，微明君注释，微妙之理，发挥无余。前有冯蒿庵、朱古徽、王病山、陈散原诸名人题词，诚内家拳术最有价值之书也。实价八角。总发行处：西摩路北致柔拳社。分售处：北京路佛经流通处、棋盘街中华书局及各大书坊。”由此可证，初版时间为 1925 年 10 月 3 日至 10 月 19 日间，初版的书价为大洋八角。

此次校释，就太极拳动作描述部分，只是纠正了动作与照片不符处，另外对于文字描述容易误读、误解处，稍加注释说明，其他一依原著。读者倘若想进一步研讨杨澄甫老师的拳势变化，可以将此本与许禹生的《太极拳势图解》和杨澄甫的《太极拳使用法》两书，相互参阅。后附王岳宗《太极拳论》，微明先生的注释，由于语境的变化，便于现今的阅读习惯，二水适当添加了自己的一些拳学体悟。后辈如我等，无缘得窥微明先生丰姿，无缘秉受微明先生亲炙，“貂不足，狗尾续”，在所难免焉。微明先生以为，太极拳的拳技原理，契合老子《道德经》的精髓，所以，他将老子《道德经》中与太极拳拳技原理相吻合的经典论说，逐一摘录，并以太极拳的讲论予以微显阐幽，名之为《太极合老说》。二水参合自身的拳学体悟，略作诠释，读者谅不以续貂为唐突也。

《太极剑》，由郑孝胥题签书名，李景林题写“剑光凌云”，吴江钱崇威、泾县胡韫玉、求物治斋主人黄太玄作序。后附太极长拳及太极拳名人轶事。另有陈志进著“太极拳与各种运动之比较”“太极拳之品格功用”两文。此书版权页署：著者陈微明，发行者致柔拳社，印刷者中华书局。代售处为：中华书局及各大书坊。

此书出版后，微明先生弟子严履彬，曾遵师嘱，对《太极剑》数势，都有补正。1959 年 10 月微明先生弟子梁溪荣如鹤先生，从严履彬赠贻同学张海东的抄本中，抄录后，赠贻李祖定。李祖定系微明先生女婿，他与微明先生女儿陈邦琴夫妇两人，曾从家师慰苍先生学习太极拳，复将此补正稿，抄赠家师。此次校释，将严履彬补正的数势一一予以补入。另外纠正了胡朴安先生序言中所引颜习斋“折竹为剑舞”事。并将《考工记》《典论·自序》《颜习斋先生年谱》《颜习斋先生传》等相关资料一一补入，以供谈助。微明先生曾得李景林武当对剑之法相授，他曾希望等待他“习之精熟，再述为书，以饷世人”，可惜哲人已逝，斯技亦已空谷幽兰。此次校释，二水以武当对手剑中“击、崩、点、刺、抽、带、提、格、劈、截、洗、压、搅”十三势，以释解微明先生剑势中相应的式势，虽未能一酬其幽兰之芬芳，亦合掌作拍，以期空谷之回响也。

《太极答问》，由微明先生自己题签书名。版权页署：著者陈微明，发行者致柔拳社，印刷者中华书局。代售处为：棋盘街启新书店、大马路华德钟表行、各大书坊。版权页也无版次印数。李景林题写“剖析毫芒”，褚民谊题写“柔能克刚”，微明先生自序。内容以问答形式，分作“太极拳源流之补遗及小说之辩正”“太极拳之姿式”“太极拳之推手”“太极拳之散手”“太极拳之劲”“太极拳之导引及静坐法”“学太极拳者之体格及成就”“太极拳之效益”“太极拳之单式练法”等几大类，就初学者相关问题，逐一加以详细解答。尤其是“太极拳之推手”一节，微明先生首次简要地为“听劲”下了一个定义：“知觉对方用力之方向、长短，谓之听劲”。从此“听劲”一词，成为太极拳推手训练中，最为经典的理论。后附“致柔拳社简章”“致柔拳社出外教授简章”“致柔拳社三年毕业课程”，实系研究致柔拳社重要的文献资料。

1929 年 10 月 31 日，《申报》刊发此书广告：“致柔拳社社长陈微明君，近著《太极答问》一书，对于太极拳精妙之意，阐发无遗。其目录分为源流、事实、姿势、推手、散手、导引、静坐、练太极拳者之体格、效益、单式练法、多种单式练法，专为远方不能入社者而作，为全国人普及练习，无师而可以明了，实具绝对之热心。闻此书业已付印，不久即可出版云。”由此可证初版应该在 1929 年 11 月间。而从此书六届毕业生名录可证，此本系 1935 年 11 月刊行的第四版。1935 年 11 月 14 日《申报》载：“陈微明著《太极拳术》《太极答问》《太极剑》等书，出版以来，风行全国。现又四版出书。《太极拳术》增图百数十幅，与电影无异，为学太极拳者最好之模范。《太极答问》，内分姿势、推手、散手、论劲、静坐等目，于太极拳之精微，阐发无遗，欲深造者，不可不看。并有单式练法，可以无师自习。《太极剑》附有名人轶事，最饶兴趣。默新书局、千顷堂、中华照相馆，及致柔拳社有寄售。”

此次校释，补充了雍正曹秉仁纂修《宁波府志》、黄宗羲《南雷文定集》之王征南墓志铭、黄百家《学箕初稿》中的《王征南先生传》《三丰全书》拳技派、《太极功源流支派论》中的许宣平、夫子李、程灵洗、宋仲殊等资料，以及《侠义英雄传》所载杨班侯事，以助谈资。涉及太极拳技、推手等答问，二水也参合自身的体悟，多有阐发。并将后附之“致柔拳社社员姓名录”、“出外教授姓名录”、第一届至第六届毕业生姓名、“苏州分社社员姓名实录”“广州分社姓名录”“广州公安局”“广州总司令部”等之名录中，姓名稽考者，一一加以补注，对于研究致柔拳社历史，实系不可或缺的资料。

微明先生自创立致柔拳社以来，教学相长，在传授拳艺的同时，他也深受致柔拳社社员，诸如关䌹之、江味农、谢泗亭、沈星叔、赵云韶、释常惺、陈元白、赵炎午、欧阳正明、持松等沪上佛学居士、高僧大德的耳闻目染，微明先生由此开始接触佛学。他先后与金山活佛妙善法师、白普仁喇嘛结缘，1937 年逢能海上师来沪上设金刚道场，微明先生“受戒因缘到”，由此而皈依佛学。赵朴初先生也在微明先生的致柔拳社与佛学结缘，并且结识了微明先生的侄女陈邦织，两人缘结并蒂，牵手走完一生。

微明先生于学，无所不窥，自小学经史诸子，百家之言，旁及内典道藏，天文舆地历算，法帖图画之书，无不穷究。他喜好古文辞，出入周秦两汉唐宋诸大家，辅加他醇厚的德性，超远的襟怀，他的文辞，感人至深。所著《清宫二年纪》《慈禧外纪》《欧洲战纪初编》《欧洲战纪二编》《文体讲义》《训诂讲义》《音韵讲义》等书，皆风靡一时。定居沪上后，又相继出版《海云楼文集》《御诗楼续稿》《双桐一桂轩续稿》，多收抒发哀慕之思、师友亲情之作，其时国学大家，诸如番禺梁节庵、桐城马通伯、义宁陈散原、嘉兴沈寐叟等先生，对其至情至性之作，多加赞许。

早年的国变家难，让微明先生由儒学而转入老庄之道。晚年的生活阅历，又让微明先生由老庄而醉心佛学。1958 年 9 月 2 日（农历七月十九），微明先生走完了他的性命践行之路，在上海永嘉路寓所安详示寂，满屋檀香，经日不散。诚如杨氏太极拳老拳论三十二目之《口授张三丰老师之言》所云："予知三教归一之理，皆性命学也。皆以心为身之主也。保全心身，永有精气神也。"微明先生出入于三教，而究竟于太极。文修于内，武修于外，由文而入武，由武而入于道，文思安安，武备动动，允文允武，最终"尽性立命，穷神达化"，为后世学者探索了一条性命之学的践行之路。

太極答問

附單式練法

剖晰毫芒

李景林题

為微明先生所著

柔能克剛

太極拳答問

褚民誼書

楊少侯先生遺像

戊辰四月初九日致柔拳社三週紀念公祝張三丰祖師壽誕攝影

楊澄甫先生

著者陳微明

己巳年致柔拳社四週紀念攝影孫祿堂楊少侯楊澄甫吳鑑泉褚民誼諸先生均到會

致柔拳社女社員攝影

致柔拳社五週紀念社員攝影

目錄

序

余從永年楊澄甫先生學太極拳八年。以資質魯鈍。故有所疑。輒喜請問。先生亦不憚煩。諄諄誨余。中間先生南游。余曾從少侯先生學三月。亦頗聞其緒論。乙丑來滬。創辦致柔拳社。教授太極拳。當時太極拳之名。知者尚鮮。不謂四年以來。風發雲湧。學者必太極拳之是學。教者必太極拳之是教。浸浸乎盛矣。或謂余太極南來。先鋒當屬之君。余何敢當哉。太極拳之普及興盛。可以强種國。固足欣幸。然又恐其泛濫而失其本源。流動而忘其規矩。溷雜而違其精意。是不可不慮也。爰以平日聞諸先生之講說。作爲問答若干節。聊以貢於有心于太極者。所不知者。不敢言也。再者每得各方賜書問函授之法。太極拳運轉圓曲。綿綿不斷。口傳手授。尚難得其準則。何能以筆墨形容。然昔許宣平傳三十七勢。本是單式練法。今師其意。將太極拳中最要之式擇出。爲單練式。詳細敘說。加以圖式。較爲簡易。可明。雖不連貫。其有益于却病延年。無絲毫之異也。已已秋陳微明識于吉祥輪室

太極拳答問 序

太極拳源流之補遺及小說之辯正

問太極拳果是張三丰所傳乎答寧波府志載有拳術名目。雖未明言是太極拳。然其中與太極名目同者甚多。黃黎洲所作王征南墓誌銘述三丰傳授源流甚詳中間曾傳之寧波葉繼美等故寧波府志載之也然則太極拳自可斷定是三丰所傳無疑。

問三丰集曾載數傳而至關中王宗。王宗與王宗岳是一人抑係二人耶答王宗乃陝西人宗岳山西人以為一人者誤也宗岳先生大約是清初時人王宗則元末明初之人也

問太極拳除張三丰祖師一脉流傳。尚有其他派否。答相傳尚有四派。列之於右

唐許宣平所傳要訣有八字歌心會論周身大用論十六關要論功用歌傳宋遠橋。

夫子李傳之俞氏。再傳俞清慧俞一誠俞蓮舟俞岱岩。

韓拱月傳程靈洗。再傳程珌。有用功五誌。四性歸原歌。

殷利亨傳胡鏡子。再傳宋仲殊。

以上皆別一流派。其詳不可得而記云。

問河南陳長興所傳弟子。除楊露禪外。尚有他知名者否。答聞尚有河南懷慶府陳清平者。亦得長興先生之傳。陳傳之武禹讓。武傳之李亦畬。李傳之郝爲楨。郝傳之孫祿堂先生。

問不肖生所作江湖奇俠傳。述及楊家。多有詆毀之詞。其所載班侯之事確否。答皆道聽塗說之言。毫不足據。自古文人且相輕。何況不讀書不識字之武夫。故名愈高者。妒之者愈衆。種種不實之傳說。反出於同門之後生。而小說家苦無材料。偶聞一段故事。即渲染成篇。種種附會。無中生有。只可作爲小說觀。然毀人名譽。往往招口舌之禍。亦不可不慎也。

太極拳之姿式

問太極拳自攬雀尾至合太極七十餘式。三丰時所傳。卽是如此。抑有所變動耶。

答聞以前太極拳。是單式練法。而不連貫。不知始于何時。將單練之各式。連爲一氣。以愚意揣之。大約始於王先生宗岳。因先生所作太極拳論。有各式之名目。係連爲一氣也。故宗岳先生。對於太極拳術。其功絕偉。若不連爲一氣。恐早失其傳矣。

問北京練太極拳者。俱是楊家所傳。何以形式又略有不同之處。答形式雖略有不同。其意未嘗不同。其所以略有不同之處。據愚意揣測。蓋有二端。一昔時師徒之分極嚴。心有不明。不敢多問。而爲師者。又不肯時演與學者觀之。故不能得最準確之姿式。一雖得準確之姿式。而數傳之後。因各人之性情不同。遂無形變改自不能覺。故太極非傳者有極精密之敎法。學者有極沈細之研究。不能得也。

問然則太極拳之姿式。何者爲準確。何者非準確。何從而斷定之乎。答以王宗岳先生所言之立身須中正安舒四字爲準。中正者。不偏不倚之謂也。安舒者。自然舒適。不緊張用力者是也。余所作太極拳術之十要。亦爲姿式之準則。如頭無虛靈頂勁。兩面傾側搖動。挺胸直立。上重下輕。兩腿雙重。虛實不清。轉動太快。手法含糊。忽高忽低。兩肩亂動。脚步太小。腰不轉動。皆失其規矩者。總要中正安舒。無處不到。十要之意思均包涵而不漏。此則雖不能至。亦相去不遠矣。

問有人言脚步不可太大。太大則換步不靈。是否。答此說亦不錯。惟初練架子時。步須開展。總以兩腿之一直一曲爲準。則如左腿直則右腿曲。所曲之腿。以膝與足尖成一垂綫爲準。則腰可鬆下。前後轉動。步太小。則腰之轉動亦小。對方來勢如猛。則無消化之餘地。不得不退步矣。如遇路窄。無地可退。則無可如何。如步稍大。以腰轉動。則可化對方之力而還擊之。

問有人言架子不可太低。然否。答架子低則步大。腰可轉動。架子高則步小。腰之轉動亦小。其高低總以兩腿一直一曲爲度。是適中之步。如過於低。則重心下陷。

而不能往前虛實反不能分太極拳論云先求開展後求緊湊若功夫純熟之時步法手法均可收小神而明之存乎其人故其小者乃由大而來其高者由低而來其緊者由鬆而來其斷者由綿綿而來如此則其小者高者緊者斷者方有把握不然則恐遇緊急時仍不能隨機應變步法散亂而不免於窮促也

問有人言架子不必多練但習推手卽可長功夫然否答凡輕視架子者皆未得架子之規矩精意者也架子爲最要之基礎久久練之身體方能重如泰山輕如鴻毛若不練架子雖多推手身體仍有不穩之時易爲人所牽動

問有人言練太極拳仍須用力者然否答太極拳論云極柔軟然後極堅剛太極拳之堅剛內勁係由柔軟鬆開而生練架子愈柔軟鬆開則長內勁愈速稍有強硬不鬆之處卽爲長內勁之阻礙蓋鬆開則兩臂容易沈重不鬆開則兩臂仍是輕浮是爲明證余所著太極拳術內已論之詳矣凡持此說者大抵天生有點力量喜恃其力或習過硬拳不肯捨棄故尚不能堅信極柔軟然後極堅剛之說雖

練太極。終不能得太極最精妙之意也。

問教者用同一教授之法。而學者之姿勢。有好有醜。其故何也。答其醜者。必生硬而有力者也。其好者。必柔軟而不用力者也。譬如范金者。必以熱度使之鎔化。方能隨心所欲。或使之方。或使之圓。均可如意。若以生硬之金鐵。欲硬打成或方或圓之器物。則恐用力甚苦而見功甚遲。故教拳者。既令學者用極大之力使全身生硬。而不易於轉動。而又欲其姿勢之佳善。是欲前而却行也。人之天生氣力。譬如生鐵。必須使之柔軟。久久鍛練。變爲精鋼。看似柔軟。堅剛無比。是爲太極拳之內勁。

問練太極拳時之頭部應如何。答頭容正直。不可低而下視。頭低則精神提不起。

問練太極拳時之眼光如何。答眼者神之舍也。眼光有時隨手而行。眼隨手則腰自轉動。有時須向前看。所謂左顧右盼中定是也。左顧右盼則腰轉可化人之勁。前看則中定。將人放出。久練太極拳。則眼光奕奕有神。神光足者。其功夫必深無疑。

問練太極拳時。口宜閉宜開。答參同契云。耳目口三寶。閉塞勿發通。太極拳本爲動中求靜。輔佐靜功之法。若張口則呼吸由口。舌燥喉乾。閉口舌抵上齶則自生津液。隨時吞嚥。是華池之水。爲養生之甘露。凡言宜開口者。則太極拳之好處。完全失之矣。

問練太極拳時之腰。應如何鬆。答曰。鬆者。非硬往下壓之意也。硬壓則不易轉動。鬆則轉動。可如意。太極拳論云。腰如車輪。此言其活。又曰。腰如纛。此言其正直。腰不下鬆不正直。則臀高聳。不但甚不雅觀。而且尾閭必不能中正。神必不能貫頂。力必不能由背脊而發。

問練太極拳用掌時之手指如何。答手指亦宜舒展自然。不可拳屈。又不可太張開。使之硬直。拳屈則氣貫不到指尖。硬直則氣亦不到。兩掌按出時。不可太過膝。過膝則失其重心。嘗見練太極拳者。兩掌按出過度。全身傾出。臀後高聳。此式由於脚步太小腰不能下之故足不到而手往前探不但打人不出則已身前傾恐立不穩打人必須進足貼身則兩手隨腰略進人已跌出此乃全身之勁也

問太極拳之蹬脚分脚亦用力否答太極之腿乃鬆彈之勁非生硬之勁也

問練太極時之神氣態度應如何答總以神凝氣靜中正安舒從容大雅綿綿不斷爲準則看似輕靈而又極沈重看似動宕而又極安靜凡太輕浮流動或過於劍拔弩張之態皆未得其精意者也

問太極拳七十餘式之次序必須如此而亦能變動否答相傳之次序如此其相連接之處亦極自然故學者當謹守之譬如一篇好文字增一字減一字不可雖然文字本有無窮之變化太極拳亦然若將各式顛倒其連接之處果能自然又何嘗不可耶太極拳架子本是平時練功夫之體若用時則又何能刻舟求劍而必依其次序耶若然則眞愚之至矣

問君所著之太極拳術當可作爲準則答何敢云然不過余從楊澄甫先生學太

極拳時。對於架子之姿勢。頗十分注意。著此書時。每式必問過五六次。方敢下筆。澄甫先生亦教誨不倦。此書不過代澄甫先生筆述之耳。

問楊澄甫先生現在所練之架子。與君所作之書。又略有不同者何耶。答澄甫先生現在所練之架子。惟第二次琵琶式後。又添一摟膝拗步白蛇吐信之後。又將身體屈回如撇身錘後之搬攔錘一樣。此則無甚大關係者也。蓋若遇地方寬闊之處。左右摟膝拗步本可多打數次。不但左摟膝可加右摟膝。亦可加琵琶式變搬攔錘。與拗步變搬攔錘。均無不可。至於白蛇吐信之後。澄甫先生教余之時。本未回身。若敵拳來擊。吾以左手接其肘。以右拳擊其脇下。故稍坐腰。即將拳打出。更爲簡便。兩次撇身錘後。及彎弓射虎後。均係回身。蓋已有三次矣。

問君所增加之長拳。又將反面之式加入何耶。答若講練功夫。練太極拳已足。長拳本可不練。余因人身之運動。似宜左右平均發育。故將反式加入。諸君以此長拳作體育運動之法觀之。可也。

問太極拳架子如摟膝拗步。必將手往後轉一大圈。然後向前打出。如此迂緩。何能應敵。答太極拳之各式。均係圓圈。蓋求其鬆開圓滿。全身轉動。此所以練體也。若求其用。豈能拘定形式。譬如三百六十一度之渾圓體。用時僅用一度。或半度均無不可。而練體則不可不求其圓滿。若應敵時亦照練體之迂緩。此眞笨伯之流矣。

問老輩練拳之意思。雖不能見。亦有所聞否。答聞楊少侯先生說。露禪老先生。練單鞭下勢時。以制錢一枚。置於地上。可以用口銜起。又可以以肩靠人之膝。其腰之下如是。班侯先生練拳之時。或面現喜色而冷笑。或忽作怒容而發喊。是所謂帶喜怒者也。此則功夫深到而自然顯之於外者。非勉强而可學者也。

太極拳之推手

問初學推手可用力否。答不可用力。打手歌云。掤攌擠按須認眞。掤攌擠按四字要分清楚。擠按坐前腿。掤攌坐後腿。先照規矩每日打數百手或數千手則自然兩腿有根腰極靈活。一年之後。再彼此找勁（找勁者彼此不照規矩隨意攻擊化解）找勁不可太早太早則喜用力成爲習慣。不能得精巧之意。

問掤攌擠按四字能包涵無窮之變化耶。答此四字內含之意思無窮。即如一按字有輕靈而進者。有重實而進者。有左重右虛而進者。有左虛右重而進者。有兩手開之意而進者。有兩手合之意而進者。如一擠字有正擠者。有偏擠者。有加肘擠者。有換手擠者。而用臂之各點。又時時變換。如此點之中心已過。即改用彼點。節節是曲綫。節節是直綫。處處是黏勁。處處是放勁。所謂曲中求直者是也。又有摺疊而擠者。或翻上摺疊。或翻下摺疊。均隨敵人之意而變換之。如一掤字。或直掤。或橫掤。或在上掤。或在下掤。粘住敵人之臂或手。隨時變換方向。總之不要敵人在我臂上或身上得有一目的而可以放勁若敵人將得有目的卽立時改變其方向惟須粘住不可丢離若敵人丢離速速打去所謂逢丢必打是也如一握子有向上握者有向下握者有平握者握之中有撅有機會則用若用勁整快則手臂或斷矣

問不動步推手與動步推手孰要答不動步推手所以練腰腰若靈活化人之勁而有餘則可不用步動步推手兼練腰步若敵人敏捷則不得不運用步法與之周旋既有腰而步法又活則變動方向更速得機得勢游刃有餘

問大握之用如何答大握是走四隅採挒肘靠採是採住敵人之手使之不易變動挒是用掌挒之使敵人欲放勁之時而中斷肘是用肘靠是用肩大握之步法更大而速非兩腿有勁不能輕靈變化

問除掤握擠按採挒肘靠八法之外尚有他法否答聞尚有抓筋按脈閉穴截膜擒拏彌放抖擻切錯諸法余不過略聞其名尚未知其用也

問推手全不用力者。敵力太大。直逼吾身。將奈之何。答推手雖不用力。然練之數年。自然生一種掤勁。此種掤勁。並非有意用力。而敵人之力。自能掤住。不能近身。初學者鬆開練習數年。使全身毫無僵硬之處。亦可練習掤勁。推手雖用掤勁。須隨腰轉。俗亦謂之老牛勁。

問太極拳推手之意。以何爲宗。答自以王宗岳先生太極拳論爲宗。若違乎太極拳論之意者。則敢斷言其錯誤。

問太極拳論之外。尙有發揮精意者否。答有李亦畬先生之五字訣。發揮拳論之意。亦甚扼要。茲錄其訣如下。一曰心靜。心不靜則不專。一舉手前後左右全無定向。起初舉動未能由已。要悉心體認。隨人所動。隨屈就伸。不丟不頂。勿自伸縮。彼有力我亦有力。我力在先。彼無力我亦有力。我意仍在先。（按此數語略有語病。應云無論彼有力無力。我之意總在彼先）要刻刻留心。挨何處心要用在何處。須向不丟不頂中討消息。從此做去。一年半載。便能施于身。此全是用意。不是用勁久之則人爲我制我不爲人制矣二曰身靈身滯則進退不能自如故要身靈舉手不可有呆像彼之力方礙我皮毛我之意已入彼骨裏兩手支撐一氣貫穿左重則左虛而右已去右重則右虛而左已去氣如車輪週身俱要相隨有不相隨處身便散亂便不得力其病於腰腿求之先以心使身從人不從已後身能從心由已仍從人由已則滯從人則活能從人手上便有分寸秤彼勁之大小分厘不錯權彼來之長短毫髮無差前進後退處處恰合工彌久而技彌精三曰氣斂氣勢散漫便無含蓄身易散亂務使氣斂入骨呼吸通靈周身罔間吸爲合爲蓄呼爲開爲發（按先天之呼吸之體吸開呼合後天呼吸之用吸合呼開）蓋吸則自然提得起亦拏得人起呼則自然沈得下亦放得人出此是以意運氣非以力運氣也四曰勁整一身之勁練成一家分淸虛實發勁要有根源勁起於脚根主宰於腰形於手指發於脊背又要提起全副精神於彼勁將出未發之際我勁已接入彼勁恰好不後不先如皮燃火如泉湧出前進後退無絲毫散亂曲中

求直蓄而後發。方能隨手奏效此謂借力打人。四兩撥千斤也。五日神聚。上四者俱備。總歸神聚。神聚則一氣鼓鑄。練氣歸神。氣勢騰挪。精神貫注。開合有數。虛實清楚。左虛則右實。右虛則左實。（按此係指自身之虛實而言。）虛非全然無力（按此力字改作意字佳。）氣勢要有騰挪。實非全然占煞。精神要貴貫注。力從人借。氣由脊發。胡能氣由脊發。氣向下沈。由兩肩收入脊骨。注於腰間。此氣之由上而下也。謂之合。由腰形於脊骨。布於兩膊。施於手指。此氣之由下而上也。謂之開。合便是收。開便是放。能懂得開合。便知陰陽。到此地位。工用一日。技精一日。漸至從心所欲。罔不如意矣。尚有撒放密訣四句。一曰擎。擎開彼身借彼力。（中有靈字。）二曰引。引到身前勁始蓄。（中有斂字。）三曰鬆。鬆開我勁勿使屈。（中有靜字。）四曰放。放時腰腳認端的。（中有整字。）以上乃李亦畬先生所傳。亦甚精要。

問二人比手之時。究以身壯力大爲占便宜然否。答二人比手。亦猶用兵。多算勝。少算。無算者雖勇必敗。比手則意多者勝。無意者敗。蓋彼用之力我知之甚悉。我用之意虛實無定奇正相生一意方過二意又發二意方過三意又發老子所謂一生二二生三三生萬物變化無窮喜用力者必爲力所拘不能隨時隨處變化用意者屈伸自由縱橫莫測機至發動如電光之閃炸彈之發彼雖跌出尙不知所以然此意之勝於力無疑也

問推手聽勁（知覺對方用力之方向長短謂之聽勁）祇用兩臂他處亦須聽勁否答聽勁功夫先練習兩臂久而久之全身皆須練習聽勁粘在何處其處皆有知覺皆能懂勁敵掌或拳挨近吾身皆能化去其力使之落空方能謂之眞懂勁也

問粘住敵人一動手彼卽跌出是用何法答太極拳論云有上卽有下有前卽有後有左卽有右此三語最宜注意所謂誘之以利攻其不備者也孫武子曰備前則後寡備後則前寡備左則右寡備右則左寡無所不備則無所不寡寡者不備之意也蓋備前則忘後吾攻前正所以攻後備左則忘右吾攻左正所以攻右與

兵法正同矣。

問不粘亦可聽勁否。答亦或有此理。內家拳不外練精化氣。練氣化神。練神還虛。三種境界。若能練精化氣。則體魄堅剛。外力不入。若能練氣化神。則飛騰變化。意動形隨。若能練神還虛。則人我兩忘。形神俱遣。至此境界。雖不粘而亦能制人矣。

問八卦掌步行圓式。移步換形。變化無窮。不知太極亦有圓轉之步法否。答昔楊少侯先生曾教余二人右手相粘。由下往上畫一圓圈。兩人之步亦作圓形。向右旋轉。右步在內。一起一落。仍在原處。左步前邁。步落地極輕。所謂邁步如猫形者是也。左手相粘則左步在內。右步前邁。向左旋轉。此係二人粘手練習聽勁之意亦在其內。而移步換形。步法之變法。與八卦無異。

問黃百家內家拳法有應敵打法色名若干。如長拳滾砍。分心十字。擺肘逼門。迎風鐵扇。異物投先。推肘捕陰。彎心杵肘。舜子投井。剪腕點節。紅霞貫日。烏雲掩月。猿猴獻菓。綰肘裹靠。仙人照掌。彎弓大步。兌換抱月。左右揚鞭。鐵門閂。柳穿魚。滿肚疼。連技箭。一提金。雙架筆。金剛跌。雙推窗。順牽羊。亂抽麻。燕抬腮。虎抱頭。四把腰等名目。今之太極拳。亦有之否。答此皆用法之名。太極拳用法。聽人之勁。隨機應變。本無定法。昔時以形之近似而假以名。歷時既久。未敢强解。以說然其用法未必盡失其傳也。其要爲敬緊徑勁切五字。敬者。時時留意。不敢散漫也。緊者。卽粘連逼緊之意也。徑者。近也。用最近捷之法也。勁者。堅剛之意。極柔軟然後極堅剛也。切者。相密切而不丟離也。

問太極拳必求其柔。柔之利益何在。答求其柔者。所以使全身能撤散而不連帶也。假如推其手。手動而肘不動。推其肘。肘動而肩不動。推其肩。肩動而身不動。推其身。身動而腰不動。推其腰。腰動而腿不動。故能穩如泰山。若放人之時。則又由腳而腿而腰而身而肩而肘而手。連爲一氣。故能去如放箭。若不能柔。全身成一整物。力雖大。然更遇力大於我者。推其一處。則全身皆立不穩矣。柔之功用。豈不大哉。故能整。能散。能柔。能剛。能進。能退。能虛。能實。乃太極拳之妙用也。

問太極拳不用抵抗力何以推不能動答太極拳雖不用抵抗力然不用力而練出之掤勁極爲圓滿不但兩臂有之全身處處皆有故功夫深者彼雖有時不用化勁而亦推之不動其抵抗力實爲極大此非有意之抵抗所謂重如泰山者是也

問有時用力推之而覺無有何耶答此即是化勁能不丢不頂其長短緩急均與來者適合如捕風捉影處處落空看是甚輕而不知乃是提起全付精神運用腰腿所謂輕如鴻毛者是也

問推手之拿法如何答太極之拿並非用大力按住使之不能動也其原理有三一所拿之直綫方向能背住對方之力不能用力翻過二對方之力雖大我不與抵抗略隨之起轉一圓圈則彼力自斷復隨我之曲綫而轉至原處不能翻過此皆含有幾何及力學之理三內勁充足雖輕輕粘住對方亦不能動一二法也三勁也知法而無勁有勁而不知法皆不能拿人皆不可缺者也

問太極拳論云捨已從人豈自毫不作主張乎答論所謂捨已從人者卽老子所謂與之爲取也隨彼之長短則視我之功夫之大小功夫小者則隨之必長必俟其力盡後方能回擊功夫漸大者則隨之亦可漸短俟其力之半途斷時卽可回擊功夫愈大者則隨之極微彼力已斷卽可回擊有時粘住彼力竟不能發出卽可放勁則不必從人而自作主張矣

問放勁時沈着鬆淨專主一方是否全身之勁皆去答是全身之勁去故放之必遠若只兩臂之勁則有限矣太極放人之勁極長而功夫愈大者則其動愈短有時不見其動而人已跌出蓋其動雖短其勁仍甚長也

問太極拳論云動中求靜靜猶動如推手之時動中如何求靜答推手與人相粘隨人轉動動之中須有靜意如動中無靜是爲流動則動必不能穩假使敵人乘我之動而放勁流動必爲人放出動中有靜意隨時能聽勁變化不易爲人放出靜之中須有動意如靜中無動是爲死靜則靜必不能活假使敵人乘我之靜而

放勁死靜必爲人放出靜中有動意隨時能聽勁變化不易爲人放出此拉精之理也

問推手掤擺擠按用同一之法有施之甲而能放出施之乙不易放出則又何故

答此各人身體剛柔動作之性質不同也有臂軟而腰硬者臂硬而腰軟者有臂腰俱軟者有臂腰俱硬者故用同一之法而效則異此則須舍其活動難放之處打其不動易放之處舍其活動難放之時打其動完易放之時則每發必中矣

問何謂難放易放之處答譬如甲此處甚活彼處不活即打其不活之處易放之處何謂難放易放之時答譬如甲正動之時方向已變不得中心是難放之時此中心將過得第二個中心彼來不及變動則是易放之時也

問何謂退中求進答假使敵人進迫我不能不退然有時手臂粘住之處隨彼之進而回屈者而同時身步反往前伸進彼力完時我手隨腰放勁則彼跌出更遠

問太極拳最要是不丟不頂假使對方能聽勁二人不丟不頂則永遠不能將人

放出。將如之何。答假使對方兩臂均能聽勁。不能得其機會。而身上尚未能聽勁。忽然乘機丢斷。速往身上放勁。亦有時能將對方放出。所謂勁斷而意不斷也。

問前言不粘之時。亦能聽勁。其情形如何。答粘住人不能將我打出。是能聽粘住之勁。不粘住人。即能將我打出。是不能聽不粘住之勁。不粘住之勁。亦要能聽。無論不防之時。人不能將我打出。則是功夫純到。而能聽不粘住之勁也。

太極拳之散手

問太極拳之散手。如何用法。答太極拳七十餘式。均是散手。既有散手。何必又習推手之法。蓋太極拳散手之變化。均由推手聽勁而來。能聽勁。則散手方能用之而適當。若不粘住敵人。不知聽勁。則用散手。亦猶外家拳之格打。未必着着適當也。太極拳論云。由着熟而漸悟懂勁。（着即是散手）由懂勁而階及神明。可見着熟是第一層功夫。懂勁是第二層功夫。着熟不難。懂勁最難。譬如敵人打一拳來。若不先粘住。則不能聽人勁。之不能聽人勁。之則不能或左或右或高或低或進。或退。而施用散手。既粘住之後。若敵人手往上起。則亦隨之而　。即可以左手擊其胸部。若敵人手往下落。則隨之下落。以左手擊其面部。若敵人手往前進。勁偏於左。則隨之向左化去其力。即可分手。以左手粘之。騰出右手擊其頭部。勁偏于右。則隨之向右化去其力。以左手擊其頭部或肩部。若敵人抽拳。則趁勢向前放勁。此略言其大概也。總之太極拳之散手。與他種拳之散手不同。太極拳之散手是由粘住聽勁而出他種拳之散手是離開而各施其手脚遠則彼此不相及近身則互相抱扭仍有力者勝焉許君禹生所作太極拳勢圖解每式之後均附以應用甚爲詳細余曾叩之楊澄甫先生云太極拳術若將散手用法加入則更備矣先生曰太極拳散手隨機應變無一定法若會聽勁則聞一知百若不會聽勁雖知多法亦用不好故余所著之書未將散手加入也孫武子曰知己知彼後人發先人至太極聽勁全是知彼功夫能粘住敵人彼不動我不動彼微動我先動彼不會聽勁一動卽跌出矣若太極拳聽勁功夫尙不能到不能粘住敵人則不必與人動手可也

問若遇他派拳家手脚極快一時不能粘住將奈之何答他派拳均以離開見長然離開過遠亦不能打上吾身若欲打上吾身必係手足能相及之處彼近吾身則吾可粘之矣粘住之後則可聽彼之勁急動則急應緩動則緩隨若遇此時不可膽小急進身粘之粘住則無危險不粘則彼可得勢矣

問二人粘手懂勁之功夫略等。亦能施用散手否。答此則不易施用。蓋但能懂勁。則不使之脫離故也。若一方能丟離而施用散手。則其功夫必較深。故精於太極者。粘住人。則對方決難以施其散手。故粘手之功夫至爲重要。而不可輕視之也。

問攬雀尾之用法如何。答敵如右拳打來。我以右手粘之。敵如又用左拳打來。則左手粘其手腕。進右步。（如右步本在前。則不必進。）以右臂摑之。彼如向後奪。則趁其奪勁擠之。或按之。看其形勢如何而應用之可也。

問單鞭之用法如何。答單鞭之用。係應付左右兩面之敵。有時亦用雙掌。

問吊手有何用。答吊手是捲勁。用時先以指。繼以手指之骨節。繼以手背。繼以腕骨。如輪之向前向下轉動。

問提手用法。答我進右拳或右掌時。敵若以右手下按我之右腕。則隨其按勁而下鬆。以左手分其右手。騰出右手。由下而上提。由腹而胸而下頦而鼻。此向上之提勁也。

問白鶴亮翅用法。答我進右掌或右拳。敵若以左手往下按我右腕。以右拳回擊。則吾右手隨其下按之勁而下鬆。以左手粘其右拳。略往下採。右手從右邊旋轉而上以手背擊其太陽穴此名爲反珠掌。

問摟膝拗步用法。答敵擊右拳。我以左手往外摟。以右掌擊其胸部。反之敵若擊左拳。我以右手往外摟。以左手擊其胸部亦可。

問手揮琵琶用法答敵若以右拳打來。其臂甚直。我以右掌接其腕。以左掌接其肘。往右用腰勁。兩掌相錯。則彼之臂必受傷若勁整時。則肘處之骨節或斷也此卽擺勁。亦謂之擨勁

問進步搬攔錘用法。答敵若以右拳打我胸部或腹部。則以右拳由上往下接按其腕。手心向上以左掌擊其面部彼若以左手接吾左掌。則速以右拳擊其腹部或胸部。卽所謂緊三錘也。

問如封似閉用法。答我擊右拳時。彼若左手橫推吾肘。我則以左手由肘外接其

腕。隨彼推勁而往右領。右手騰出適按其肘節。兩手齊按。則彼跌出矣。

問十字手用法。答此我兩手。粘住彼之兩手。有時欲用分勁或用合勁時用之。

問抱虎歸山用法。答抱虎歸山乃應兩面敵法。故先分手。敵若由右面斜進來打。我即以右手由上接粘之。以左掌擊其面部。設又有敵人由左面來攻。則轉身以單鞭擊之。楊少侯先生云。抱虎歸山。倘須下身抄虎之前後腿。蓋又一種練法也。

問肘下錘用法。答此連環三手也。以右掌或拳橫擊敵之太陽穴。設敵以左手由外來隔。則抽回藏左肘下。以左掌擊其面部。設彼又隔我左掌。則右掌由肘下擊其胸部。三手必有一中也。

問倒輦猴用法。答敵若以右拳擊我胸部或腹部。則以左掌採其右腕。含胸坐後腿。以右掌擊其面部。敵若以左拳擊我胸部或腹部。則以右掌採其左腕。含胸坐後腿。以左掌擊其面部。

問斜飛式用法。答吾擊右掌或右拳時。敵若以左手往右推吾右肘。則以左手從右肘採其左手。騰出右手。向其太陽處擊之。此卽捌勁也。
問海底針用法。答敵若握吾右腕時。則用海底針式。彼卽不能得力。手必鬆散。
問扇通臂用法。答敵握吾右腕。既用海底針化去其力。彼若上奪。則順勢右手上抬。進左步以左掌擊其胸部。
問撇身錘用法。答我用右肘擊敵。彼若以手下按。則隨其下按之力。沈肘。以拳下擊其胸部。左掌擊其面部。此亦謂之筋斗錘。
問抎手用法。答抎手本爲練腰之要式。兩手如輪。所以攦敵之手也。或敵由後面來擊。我轉腰以臂接之。翻掌擊其肩部。
問高探馬用法。答敵擊右拳。我以左掌接之。以右手擊其面部。
問右分脚用法。答敵若以左掌或拳來擊。吾進右步。以左手接其腕節。以右臂撅之。起右脚踼其腹部。敵若以右掌或拳來擊。吾進左步。以右手接其腕節。以左臂撅之。起左脚踼其腹部。

問轉身蹬脚用法。答敵由後面來擊。則轉身分手擊其面部。隨以足蹬之。使之不能防也。以下蹬脚大概相同。

問栽錘用法。答設敵伏身以手擊吾下部。或摟吾之左足。即以左手摟開。以右拳下擊之。

問白蛇吐信用法。答與撇身錘相同。不過此用掌耳。

問披身伏虎式用法。答敵雙手握我右臂。則右臂隨腰往下往右轉動。則可化彼之力。以左手握其右肘。騰出右手。可以遶上橫擊其頭部。如雙手握我左臂。則向左轉動。以右手握其左肘。騰出左手。遶上擊其頭部。或敵左手推吾右腕。吾以左手由臂下接其左腕。騰出右手。以拳擊其腰部。反之敵若右手推吾左腕。吾以右手由臂下接其左腕騰出左手。以拳擊其腰部。惟兩足亦必隨勢而邁動。如練拳時之步式。

問雙風貫耳用法。答設吾雙手前按時。敵以兩手下壓。則順勢由下分開。上擊其耳門。

問野馬分鬃用法。答敵若右拳擊吾頭部或胸部。則我以右手往左採之。進左足邁至彼之身後。以左臂進抵其胸。腰往左轉。則彼身必往左跌。敵若左拳來擊。吾左手往左採之。進右足邁至彼之身後。以右臂進抵其胸。腰往右轉。則彼身必往右跌。

問玉女穿梭用法。答敵以右拳或掌擊我頭部。我以左臂上掤。以右掌擊其胸部。凡我臂與彼相粘時。彼手若上起。則可以玉女穿梭式擊之。勢順而易也。

問單鞭下勢用法。答下勢係因敵人猛力往前。則坐身以化其力。然後起而擊之。

問金鷄獨立用法。答與敵貼身太近時。則以掌或拳擊其下頦。同時以膝擊敵之小腹。

問上步七星用法。答敵若以拳由下往上擊吾面部。則以兩拳架而放之。此亦截勁也。或同時起右足踢其下部。凡足虛點。皆預備用足也。

問退步跨虎用法。答用上步七星法。設敵力甚大。復往前進。則退步分手。領彼之拳傾向旁側。則起左足踢之。

問轉脚擺蓮用法。答敵若以右拳來擊。吾以右手往右領。以左手推其肘。則可旋轉身軀以右足踢其背部。

問彎弓射虎用法。答敵若往右推吾右臂。卽順其勁往右鬆。彼力盡後。則以右拳轉至彼右脇下。用腰勁回放之。

以上所舉散手用法。不過言其大概。然敵之來勢無定。我何能執一定之法而禦之。總之非隨機應變不可。若欲隨機應變。非平時推手。練出極靈敏之感覺。雖手疾眼快。亦不能用之密合而無間。故用散手。仍須由粘手變化而來。不然。雖記得打法解法數百手。亦不能應付千門萬派之拳脚。太極惟有一粘字。千變萬化。皆由粘字而出。太極拳論云。人不知我。我獨知人。英雄所向無敵。蓋由此而及也。蓋推手之法。全是練習知人功夫。他派拳法雖好。惟無推手。故全靠手疾眼快。然一

粘住則不知勁來之方向長短不免有抵抗或落空之弊孫子曰知彼知已百戰不殆卽此意也

問粘住敵人之手彼若用脚則將如何答亦可隨時知覺彼用腿則身必動彼將起脚我往下探其手則彼腿自不能抬起而落下或彼將起脚我進步揷襠放之則彼自立不穩而跌出蓋兩足立地尙有時不能立穩何况一足敵若用掃腿均可前進放勁

太極拳之勁

問太極之勁。略分幾種意思。答就余所知者。約有粘勁。　化勁　提勁　放勁　借勁　截勁　捲勁　入勁　抖擻勁數種。

問何謂粘勁。答粘住敵人之臂。或輕粘之。或重粘之。不使之丟脫。是謂粘勁。

問何謂化勁。答粘住敵人。彼若用力來推。則粘而化之。大概直來之力。用曲綫左右引之。使變其方向。是謂化勁。

問何謂提勁。答粘住敵人之臂。彼若用力上翻。則隨之上起。使之脚跟提起。是謂提勁。

問何謂放勁。答敵脚跟提起。身不穩時。則隨其傾側之方向而放之。則毫不費力而跌出必遠。是謂放勁。太極拳論云。蓄勁如張弓。發勁如放箭。敵提起時。我勁已蓄。隨其方向。沈着鬆淨。去如放箭。孫子曰。勢如擴弩。節如發機。即此意也。

問何謂借勁。答敵若前推。則借其前推之力而採之。敵若後扯。則借其後扯之力而放之左右上下皆然。是謂借勁。

問何謂截勁。答敵若用拳來擊。不及變化。則用截粘。截勁者。卽碰勁也。一碰卽跌出。此非功夫深者不能也。

問何謂捲勁。答拳到敵身。如鎚鑽之前進。是謂捲勁。

問何謂入勁。答掌貼敵身。氣往下沈。掌一閃動。其勁直入內五臟。震動必受重傷。是謂入勁。

問何謂抖擻勁。答敵若由背後擊來。無暇轉身。則身一抖擻。彼必跌出。此則非到神妙之地不能也。是謂抖擻勁。

問勁與着有何分別。答着乃變化之法也。勁卽運入着之中。着有萬。而勁則一。無論何着。勁是一箇。惟用時之意不同。故勁亦隨之而變。

問勁與力有何分別。答力是生來本有。勁是功夫練出。生來本有之力。是一種生力。譬如生鐵。未經煅煉。功夫練出之勁。譬如煉鐵而已成鋼。古語云。力不敵功。功即練出之勁也。然各種拳派。均是煆煉而煉出之勁則又不同。太極拳。是鬆散練出。乃柔帶剛之眞內勁也。凡堅硬練出者。鬆散無意之時。則勁不存在。被人猛擊。不免。受傷。而鬆散練出者。鬆散無意之時。勁仍存留。其氣自然充滿全身。無絲毫之間斷。雖被人擊。不致受傷。

問圓勁直勁是分是合。答太極拳論云。曲中求直。圓勁之中。必須有直勁。直勁之中。必須有圓勁。若有圓勁而無直勁。則只能化而不能放。若有直勁而無圓勁。則遇有化勁者。必致落空。故圓直二勁。能融合爲一則善矣。

問硬勁與鬆勁有何分別。答硬勁自握其勁。百斤之勁。打上人身。不過五十斤。一半仍留在巳身。鬆勁譬如丢一石塊。務求其遠。若有百斤之勁。則全放在人身上。毫不存留於己身。

問用截勁有定時否。答用截勁。最要時之恰當。差之秒忽。則機會錯過。大抵彼勁將發。未發。將展。未展之時。用截勁。最好。

太極拳答問

太極拳之導引及靜坐法

問太極拳。與古導引之術同否。答古導引熊經鳥申。華佗五禽戲。皆取法於鳥獸。太極亦有倒輦猴野馬分鬃種種名目。太極拳不外乎虛實開合。虛實開合。即所以調呼吸也。其最妙處。則在全身運動極匀而緩。動作匀緩。則呼吸自然深長。故息不必調而自調。導引亦不過假形式之開合。以調其呼吸耳。易筋經八段錦。乃一枝一節之運動。太極拳則是全體之運動。可使四肢百體皆平均發育。毫無偏重之處。此所以能却病延年也。參同契爲丹書之祖。曰緩體處空房。緩體二字最宜注意。即太極拳論所謂鬆淨是也。蓋緩體鬆淨。則氣自沈於丹田。故主張用力者。決不能歸於自然舒適之境。則不可得太極導引之利益。形式雖是而意則非矣。

問太極拳之呼吸如何。答太極拳之呼吸。隨體式之開合。吸爲開。呼爲合。李亦畬先生云。吸則自然提得起。亦拏得人起。呼則自然沈得下。亦放得人出。吸本爲入

氣而反爲提呼本爲出氣而反爲沈蓋太極呼吸之升沈實爲先天氣之消息故
與靜坐金丹之訣密合其所以能却病延年者由此也柳華陽風火經云吸降呼
升者卽先天後天二氣之炁也然後天氣吸則先天炁升爲升是升於乾而爲採
取也後天氣吸則先天炁降爲降是降於坤而爲烹練也若以口鼻一呼一吸爲
升降者則去先天之炁遠矣按其所言先天炁之升降與太極拳內中之消息相
同故太極爲動中求靜輔佐靜功之最要法門凡認太極拳爲武技專求取勝於
人者豈知此中之玄妙耶

問取名太極究係何意答太極本一圓形爲陰陽渾合之一體太極拳處處求圓
滿分陰陽虛實故以爲名然此尙是形容其外之體用也不知人身中間一穴爲
立命之處名爲大中極大者太也此穴卽人身之太極中點立爐安鼎坎離交媾
卽在此處太極拳運轉先天之炁凝神入氣穴不久則丹生焉故太極拳能通小
周天之氣較之但枯坐者更爲速焉

問練太極拳兼習靜坐可否。答兼習靜坐。自與養生却病更有效益。惟靜坐之功。難得眞傳。傳授不好。往往流弊甚大。不但無益而反有害。如欲兼習靜坐。無眞傳口訣。即照練太極拳之意。跏趺。而坐須有虛靈頂頸。尾閭中正。兩目垂簾。兩手相握抱臍。收視反聽。迴光反照。謹閉五賊。恐被盜馳。謹於眼則目不外視。而魂歸肝。謹於耳則耳不外聽。而精歸腎。謹於口則兌合不談。而神歸心。謹於鼻則鼻不外嗅。而魄歸肺。謹於意則用志不分。而意歸脾。精神魂魄意。心肝脾肺腎。金木水火土。耳目口鼻意。攢簇各歸其根。各復其命。則天心自見。神明自來。必有特別感覺發現。而自與凡人不同矣。柳華陽注重風火。火者神也。風者先天之呼吸也。何以能練神化氣。如水必賴火烹而後發爲蒸汽。精者水也。若用神火下照。則精自可化而爲氣矣。神火下照有時恐力不足。故鼓巽風以動之。則火必旺。亦由鑄金者之鼓其風箱也。太極拳之能調呼吸。即風火之用也。如蒸汽機借火力以烹水。發爲蒸汽。而數萬噸之重量可以鼓動。而人身之精氣神三寶。若能保守煅煉其神通亦不可思議矣。

問練太極拳可以代靜坐否。答何嘗不可。靜坐妄念難除。練太極拳。精神貫注。可以毫無妄念。及至心平氣靜。人我俱忘。境界微妙。身體舒適。難以言語形容。是可謂之入太極三昧。

學太極拳者之體格及成就

問如何體格學太極拳最爲相宜答無不相宜惟體格軟硬習之略分難易耳大概體格瘦者較爲靈活而厚重則遜之肥者較爲穩厚而不免於拙滯各有所長亦有所短然若能勤練功夫其成功一也

問練功夫者雖多而眞能成爲名手則不多覯是何故耶答吾聞之楊澄甫先生云成爲名手一要傳授好二要肯下功夫三要體格雄厚而又活潑四要心精細而能領會四者俱全若下十年苦功未有不成名者也

問譬如一人有力一人無力同時學太極拳自以有力者優勝答若初學數年之間尙未懂勁之時不免有時頂撞自有力者勝若懂勁之後能不丟不頂而腰腿又靈活至此之時則有力者亦未必占便宜也

問功夫之深淺如何評論答自表面觀之二人比手自有勝負若精密論斷譬如一人體格雄厚有力一人體格單弱無力若此二人比手雄厚者不能將單弱者

打出。則此單弱者之功夫必甚深。應當評爲較優也。蓋就原人而論。自是强勝於弱。强不勝弱。則强者之功夫不及弱者明矣。

問拳有各派。互相詆譽。非眞比手。不能斷其優劣。答雖眞比手。亦難評斷。蓋習甲種拳者。只有三年功夫。而習乙種者。有五六年功夫。而乙勝。此乃甲之功夫不深。非拳派之劣也。若欲精密比較。須選年歲體格力量智慧無不相同之人。同時各學一種拳術。教授者又均是名手。五六年之後。約相比較。如此或可以定拳派之優劣耳。

問練太極拳宜緩若表演時。太緩則人厭觀。尙不如外家拳之有精神。應如何而能引起觀者之興味。答太極拳精神內歛。非眞識者不能知。本不宜於表演。蓋太問拳本爲修身練己之功夫。非博人之喝采也。惟太極拳爲最適宜於養生之運動。不能不加以提倡。表演之時。不可太慢。余每見前輩功夫好者。自己練習與表演不甚相同。識是故也。太極拳二人活步推手。圓轉變化。其精彩不下於外家拳之對打。亦可引起觀者之興味。

問欲成出類拔萃之名手。功夫如何練習。答須先有五種心。一信仰心。學一種拳術。必須有絕大之信仰。不可稍存懷疑之意。二尊重心。既擇師而從。須尊重恭敬。不可稍存玩狎之意。三有恆心。人而無恆。不可以作巫醫。學拳術更非有恆不可。四忍耐心。五年不成。期之十年。十年不成。期之二十年。雖資質魯鈍。一時難見功效。若有絕大之忍耐力。未有不成者也。五謙遜心。功夫雖小有成就。不可自以為高絕無對手。無論何種拳術。必有其特長之處。皆須虛心研究。然後能知已知彼。而不致因驕以失敗矣。

太極拳答問

太極拳之效益

問練太極拳於身體究有效驗否。答余創辦致柔拳社已四載餘。入社學者。不下千餘人。皆爲身體病苦而來者。一年之後。宿疾脫體。精神健旺。顏色光潤。無論肺病咯血。胃病不能飲食。遺精痔瘡。頭痛頭暈。手足痳木。肺胃氣痛。種種沈疴。不勝枚舉。練太極拳後。莫不霍然。此本社已見之明效大驗也。

問女子宜練太極拳否。答女子身體柔順。練太極拳尤爲相宜。本社女子因病來學者。均已健壯。有廣東梁璧疊女士。從余學二年。曾作文一篇。錄於後。女界不可不注意也。文曰。吾雖爲女子。而體質非弱。惟性好靜。終日默坐。專心學問。以爲立身處世之本。對於修養健康之道。素不講求。日積月累。遂覺氣不足以舉其體。馴至脾失健運。患胃病者垂三四年。日與藥爐爲伍。視世間如地獄。無復一毫生人樂趣。一二名醫告吾曰。此病非藥可治。首須節勞。又須稍事於勞。所謂稍事於勞。蓋指體育運動言也。予是時一笑置之。第念生性好靜而不好動。若勉作運動。反增其苦。於是轉習畫欲以筆墨點綴花木禽魚。揮灑烟雲山水。爲陶冶性情之資。然於病仍不減。於藥亦不能爲效。計無復之。回念醫者曩告吾言。意稍稍動。適湖北陳微明先生在滬設立致柔拳社。以太極拳教授男女生徒甚衆。學者各有所得。有宿疾無不盡去。吾父勸吾入社習拳。吾以太極爲理中氣。爲天道之行健與調和人身氣血之至理相通。乃毅然入社。時丁卯夏六月也。習拳法未一月。食量頓增。三月後。體量加重約五之一。嚮所不能爲之事。今皆能之。嚮以爲苦者。而今則以爲樂。精神暢遂。體質豐腴。朋友親戚相見。幾不能識。吾亦不知何以收效如此之速也。嗣知太極拳法。渾圓無極。歸於一氣。本天地造物之通於人身者。復隨其機而運用之。使血脈永無凝滯。葆先天之靈明。得後天之長養。正者引之而無盡。邪者格然而不能入。顧太極拳法取柔。莊子謂天下至柔。馳騁天下至剛。老子謂柔制剛。弱勝强。天演之理。故能收益一切。不用力而力自生。不傷氣而氣愈足。諸種內家拳術。以太極拳法爲最圓滿。相傳人得之者。可以輕身而延齡。雖不必盡信。而吾之所得已如此矣。陳先生嘗語予曰。汝之始來。爲却病也。繼自今久習勿怠。他日所進。將有不可限量。不可思議者。夫吾於太極拳法。其所以學之。與其所得之者。固大有感於其中。深恨得先生太晚。又焉敢怠哉。以上梁女士所述。足見太極拳尤益於女子。惟須有恆心。不淺嘗。輒止。未有不見效者也。

太極拳之單式練法

問太極拳既有益於人生如此。則必須求其普及使人人可學。而出版之太極拳書。又難一覽明了。必須如何能使人無師而自習耶。答太極拳之運動均是曲綫相連不斷。頗爲繁複。余所著之太極拳術。敘之非不詳。然未學者。欲觀書而得之亦非易事。蓋非口傳心授不可也。昔許宣平所傳之三十七勢均爲單式教練。今可取其意。將太極拳中最要之式擇出。分式練習如八段錦等法。無相接連貫之繁。苟敘之清晰。較易按書學習。今特分爲以下十式。一太極起式。二攬雀尾左右揉手。三左右摟膝拗步。四十字手。五左右摀手。六左右打虎式。七左右雙風貫耳。八左右野馬分鬃。九左右玉女穿梭。十左右單鞭下勢。十一左右蹬腿。每式左右運動共有二十四次。若能練習。則於身體亦有大益。與練全套太極拳無異也。

問太極拳起勢如何練法。答身正立。兩足平行分開寬與兩肩等。兩手下垂。（如後第一圖）兩手毫不着力。向前向上漸漸提起。提與胸平。手心向下。寬與兩肩等。(如第二圖)兩臂漸漸收屈。兩手與腰同時下按。按至兩膝處。(如第三圖)復漸漸向前向上提起。周而復始。如是者練習十次。

問攬雀尾揉手如何練法答第一式兩足分開作丁字步。右足在前。左足在後。如右足尖向南。(以下各式均以向南爲準)左足尖則向東南。兩足長短之距離。以一直一曲爲度。兩足寬之距離以一足之長爲度。兩手平伸。寬與兩肩等。手尖向南。(如第四圖)此兩手毫不用力。隨腰漸漸向右轉。轉至手尖向西南。此時坐實右腿(如第五圖)再由右如畫圓圈。隨腰漸漸往左轉。轉至手尖向東南。此時坐實左腿。(如第六圖)兩手隨腰復由左向右圓轉。周而復始。往右轉則坐右腿。往左轉則坐左腿。如是者十次。

第二式左足在前。右足在後。左足尖向南。右足尖向西南。兩足寬長之距離。均如前式。兩手平伸向南。如前。隨腰漸漸向左轉。轉至手尖向東南。此時坐實左腿。再由左如畫圓圈。漸漸往右轉。轉至手尖向西南。兩手隨腰復由右向左圓轉周而復始。如是者十次。第二式與第一式。惟左右不同。其法均同。故不另作圖。

第三式兩足丁字步右腿坐實在前。左腿伸直在後。如前。右手伸向前向南。高與眉齊。臂稍屈肘下垂。手心向上向內。手指斜向上向東南。左手心正對右脉門處。約二寸許。手指向上。(如第七圖)右手與左手隨腰往右圓轉。右手心隨轉向下。左手心隨轉向上。右手在上。左手在下。(如第八圖)與腰同時往回收。至全身坐在左腿。兩手隨往後往上轉動。轉至左肩處。左手心向前。手指向上。右手心向內。手指斜向上。(如第九圖)兩手復隨腰前進。坐實右腿。轉至原處。不停。復隨腰往右圓轉。周而復始。如是者十次。

第四式兩足丁字步左腿坐實在前。右腿伸直在後。如前。左手伸向前。向南。高與眉齊。臂稍屈肘下垂。手心向上向內。手指斜向上向西南。右手心正對左脉門處。約二寸許。手指向上。左手與右手隨腰往左圓轉。左手心隨轉向下。右手心隨轉向上。左手在上。右手在下。與腰同時往回收。至全身坐在右腿。兩手隨往後往上轉動。轉至右肩處。右手心向前。手指向上。左手心向內。手指斜向上。兩手復隨腰前進。坐實左腿。轉至原處。不停。復隨腰往左圓轉。周而復始。如是者十次。與前法同。不另作圖。

第五式。右腿坐實。在前。左腿伸直在後。如前。兩手伸出。寬與肩等。手尖向上。手心向前。(如第十圖)兩手向上鬆起。使手尖向前。手心向下。隨腰往後。鬆至坐實在左腿。(如第十一圖)兩手復往前按出。兩手不可太過膝。復往上鬆。周而復始。如是者十次。

第六式。左腿坐實在前。右腿伸直在後。兩手之隨腰前進後退。均如第五式。不另作圖。

問摟膝拗步如何練法。答第一式。左腿坐實在前。右腿伸直在後。作丁字步。如前。右手伸出。正對前胸。手指向上。手心向前。左手在左膝外。手指向前。手心向下。(如第十二圖)右手心漸漸翻轉。向上往下轉動。復隨腰往後轉。漸漸坐實右腿。

此時右手尖向下垂。左手同時往上起。起至胸前。復隨腰由胸前往右轉至右肩前。此時右手已漸圓轉而上。至坐實左腿時。左手漸漸往下轉至胸下腹上之處。右手此時由後漸漸轉至右耳邊。（如第十三圖）復隨腰往前按至當胸原處。左手亦同時隨腰往下摟。仍至左膝外。眼神隨右手轉動周而復始。如是者十次。

第二式右腿坐實在前。左腿伸直在後。左手伸出。正對前胸。手指向上。手心向前。右手在右膝外。手指向前。手心向下。左手同前式之右手。右手同前式之左手。隨腰轉動周而復始。如是者十次。均如前法。不另作圖。

問十字手練法。答身正立。兩足平行分開。兩手相交作斜十字形。正當胸（如第十四圖）前。兩手向上向左右分開。分至與兩肩平時。隨腰下坐。（如第十五圖）兩手復由左右向內漸漸相合。隨腰上起。起至胸前。仍作斜十字。兩手如同畫一大圓圈。隨腰上下。周而復始。如是者十次。

問抎手練法。答兩腿作平行綫分開。約距離兩足半之譜。兩手先平分。與肩成爲一字。手心向下。（如第十五圖）右手隨腰往下往左圓轉。漸漸轉至手心向上。轉至左肩前。手心漸轉向內。坐實左腿。此時左手不動。（如第十六圖）左手亦隨腰往下往右圓轉。漸漸轉至手心向上。轉至右肩前。手心漸轉向內。坐實右腿。先坐實左腿之時。左手轉動。右手同時隨腰復往右轉。隨轉手心隨轉向下。與肩成爲一字。（如第十七圖）坐實右腿之時。左手轉至右肩。亦不停。同時隨腰復往左轉。隨轉手心隨轉向下。與肩成爲一字。此時右手復轉至左肩處。坐實左腿。（如第十六圖）兩手隨腰一往一來。圓轉如輪。右手至左肩處。眼神隨右手轉。左手至右肩處。眼神隨左手轉。周而復始。如是者十次。

問左右打虎式練法。答兩足分開。作平行綫。如抎手式。先坐實右腿。右手伸直與右肩成一一字。手心向下。左手屈在右肩處。手心亦向下。兩手隨腰往下往左轉。左手由左復向上轉。轉一大圓圈。轉至額上。握拳。手心向外。右手轉至胸前。握拳。手心向內。兩拳虎口相對。此時坐實左腿。（如第十八圖）兩手轉動時。眼神隨左手轉動。左拳復向左向下轉。轉至與左肩成爲一字。復隨腰向下向右圓轉。轉至胸前。手心向內。右拳隨左拳同時向左向下。復轉而向右向上。轉一大圓圈。轉至額上。手心向外。兩手虎口相對（如第十九圖）眼神隨右拳轉動。兩拳左右旋轉。一往一來。如是者十次。

問左右雙風貫耳練法。答右足在前。左足在後。作丁字步。先坐實左腿。兩手相交在左膝上。手心向上（如第二十圖）兩手向下左右分開。開至與兩肩成爲一字時。復向前轉。漸轉漸合。至額前。握拳。手心向外。兩拳相對距離約二寸許。腰亦同時前進。至坐實右腿。稍停（如第二十一圖）兩拳復鬆開爲掌。變至手心向上。復向下左右分開。如前狀。腰同時向後坐。至左腿坐實。兩手復向前相合。至坐實右腿。如是者十次。若左足在前。右足在後。亦同前法。

問野馬分鬃練法。答兩足作平行綫分開。如抎手式。（單式練習。步法不能不變通。）若身向南。先坐實左腿。兩手相合。在左膝上。右手在下。手心向上。手尖向東南。左手在上。手心向下。手尖向西南。兩手如抱球狀。（如第二十二圖）兩手漸漸分開。右手斜向上向西南分去。手心仍向上。手尖漸轉向西南。左手斜向下向東北分去。手心仍向下。手尖漸轉向東南。腰隨兩手分時漸漸移右。坐實右腿。眼神隨右手向西南。稍停。（如第二十三圖）右手心本向上。漸漸往回收轉至向下。手尖漸轉至向東南。左手心本向下。漸漸往右轉。轉至向上。手尖漸轉至向西南。與右手相合。右手在上。左手在下。兩手如抱球狀。在右膝上。兩手漸漸分開。左手斜向上向西南分去。手心仍向上。手尖漸轉向東南。右手斜向下向西北分去。手心仍向下。手尖漸轉向西南。腰隨兩手分時漸漸移左。坐實左腿。眼神隨左手向東南。稍停。法如前。不另作圖。如是者往復十次。

問玉女穿梭練法。答右足在前。向南。左足在後。作丁字步。先坐實左腿。左手在上。手心向下。右手在下。手心向上。兩手相合。在左膝上。（如第二十四圖）右手漸漸向上向前轉。轉至額上。手心向外。手尖向東南。左手同時向前按出。略與胸齊。手心向外。手尖向上。兩手動時。腰亦同時向前進。至右腿坐實。稍停。（如第二十五圖）右手隨腰向右略轉。轉至手心向下。左手同時亦略向右轉。轉至手心向上。右手在上。左手在下。相對（如前第八圖）隨腰往回收。隨收隨轉。轉至右手仍在下。左手仍在上。兩手相合。坐實左腿。與前起式同。復往前進。如是者十次。如左足在前。右足在後。則先坐實右腿。兩手相合在右膝上。一切均如前法。惟左右手上下交換耳。

問左右單鞭下勢練法。答左腿坐實。右腿伸直。兩足寬之距離。約一足長。左手伸出。手心向前。手尖向上。與左足尖同一方向。左臂略屈。肘正對膝。不可太伸直。右臂向後伸直。五指下垂。與右腿同一方向。眼神看左手。作單鞭式。（如第二十六圖）身隨腰漸漸收回。往下坐在右腿上。愈低愈好。低至左腿伸直。身不可太俯。頭仍要有頂勁。左手隨腰向回收。收至右肩處。轉而向下。至左膝處。（如第二十七圖）復隨腰向上起。起至與眉齊。手心仍向外。右手同時隨腰向下。向左轉一圓圈。向上轉至左肩。(如第二十八圖)左手又復隨腰向回收轉而向下。右手復向右轉。至伸直如前兩手隨腰上下。如輪圓轉。如是者十次。右足在前左足在後。作單鞭勢均如前法。

問左右蹬腿練法。答先正立作十字手式。向南。兩手略向上漸漸分開。如半月形。右手向西。左手向東。分開之後。兩手指均向上。右腿同時提起。向西蹬出。(如第二十九圖)右腿收回。右手由右往左。與左手手心相對。左手略在上。右手略在下。同時隨腰由左往右往下圓轉。右足同時隨腰隨兩手往西邁步坐實。兩手由下圓轉往上相合。作十字。兩手同時分開。左手向東。右手向西。左腿提起。向東蹬出。(如第三十圖)左手復由左往右。與右手手心相對。右手略在上。左手略在下。同時隨腰由右往左往下圓轉。左足同時隨腰隨兩手往東邁步坐實。兩手由下圓轉往上相合。作十字。兩手復分開。左足蹬出。如是者十次。

第一圖

第二圖

第三圖

第四圖

太極拳單式圖

第五圖

第六圖

第七圖

第八圖

第九圖

第十圖

第十一圖

第十二圖

第十三圖

第十四圖

第十五圖

第十六圖

第十七圖

第十八圖

第十九圖

第二十圖

第二十一圖

第二十二圖

第二十三圖

第二十四圖

第二十五圖

第二十六圖

第二十七圖

第二十八圖

第二十九圖

第三十圖

致柔拳社社員姓名錄

王鼎元　薛晉雄　岑　巍　秦鑑本　孫潔人　嚴敬愼　王傳燡　李剛俠
蕭國樹　沈彭生　胡鏡庸　倪國才　王嘯漁　孫億年　楊成才　施漢章
王立才　李衍善　邱成瑜　朱雋鹿　郭俊民　郭俊錤　郭俊鉌　王漢禮
許頤齋　戴桐原　韓思民　許雲翔　楊憲臣　王侶樵　潘志傑　馮之沛
秦曙聲　董鐵峯　翁受宜　李秉法　胡福良　胡敬侃　孫莘農　孫億中
周錫蓀　陸海藩　林祖庭　鄭志仁　孫乃騄　朱企賢　管　峻　王俞欽
沈成基　陳維東　蔡汝銑　李樹德　葉愼齋　李　崙　顧　明　洪　遹
趙敵七　楊成才　王野石　顧禔明　黃友蘭　李劍雲　茅耀庭　李衡三
翁壯明　李志超　金性初　錢鐵鍈　祁福卿　潘鼎新　程志祥　景湘坡
孫雪橋　毛汝霖　李鏡清　徐日宣　顧懋予　李圓盧　張景履　梁鈞疇
潘志瑩　關耕逸　陳子清　阮鑑光　嚴新儂　楊佑初　謝利恒　楊履初

周椒青 金潤庠 韋伯興 吳元松 雀文瀾 唐庸褚 孫聞遠 鄭子松
何樹芬 羅麟生 徐巨川 劉玉書 顧賞之 錢慈嚴 金德本 田豫鐸
陳潤身 陳鐸民 馬立順 彭定保 陳榮廣 趙南公 葉樂康 吳甄士
劉斌傑 陳湯生 胡純一 胡純如 茅錫榮 杜恩湛 杜跋予 江臥雲
王燦 胡樸安 錢旭耕 錢旭林女士 錢景淵 陳文翰 謝映齋
董惠民 郭鳴九 周作孚 金寶坤 蔣仁山 蔣仁灤 何國衡 陳彭林
任德臣 李丹霞 吳印滋 王槐卿 者雨舟 秦運堯 薛松隱 李廷書
夏其昌 翁菊生 金靜覺 趙任甫 姚乃勤 管義正 何漢文 胡立勛
孫麟書 李維格 鄧根廉 胡少堂 孫莘農 殷懋超 樂楣榮 朱尊一
吳榮 朱小珊 蘇祖齊 葉去非 唐昌 王紹鑾 朱永昌 王輔世
艾建平 金熙章 孫占偉 謝成芳 蔣詠良 華汝潔 李徵甫 翁慕徐
蘇雲望 季成功 邵菊如 蔡文統 徐可亭 邵守之 吳培松 陳心純

程在勤　張慶彬　柯箴心　程紹武　馮之沛　洪率範　關德稱　陳錦江
林安邦　李石華　高曉山　虞清華　沈廷樑　何瑞國　陳楚寶　金守言
錢振昌　嚴賡堯　余朗如　管止卿　周子南　居仲賢　朱曾沛　田德潤
余鈞甫　項耀辰　馮國楝　張家楨　陳德澄　譚保傳　凌子大　喬隱偉
陳慕壽　丁錫藩　尹松樵　施玉聲　俞兆麟　關樹榮　翁若水　吳季箎
張愚誠　胡書城　胡筱初　王望曾　鄭守明　何正肇　熊禮方　劉春蕃
劉世煦　陳恩池　宋遠甫　劉次璧　黃致平　印潤玉　但怒剛　張亞光
朱覺卿　程鴻軒　程紹武　鄭執安　劉亞休　顏守樸　吳志清　徐福民
胡以文　張仲孝　張慶彬　莊成季　張仲賓　程筱筠　黃志清　朱蕙堂
葉禮卿　俞雋琴　茅四圓　鄭耕莘　陳虎章　黃紹文　湯震龍　沈濬文
翁樂之　唐瑞東　顧省吾　顧賞之　王輔世　王爲彰　步文白　鄭仲棠
鍾文標　胡可錚　盛效賢　周烈勛　張　鶴　王道衡　邱泉韻　蔡靜尉

致柔拳社社員姓名錄

龔芝洲　楊也喬　陳器成　胡若范　邵柳門　程蘇門　徐白良　戴景虞
劉亞休夫人　倪徵環女士　江曼云女士　鄭樹人　潘南仲　盧太育
徐月庭　陸象霆　王理卿　吳君飛　席念椿　李少川　吳李履　胡允昌
陳仲魯　吳百祥　宣金聲　錢同人　喻華韡　沈增奎　徐雪塵　王繼先
劉寶琪　王步賢　劉筠青　唐雲旌　鄒君斐　吳志和　葉宗泰　王景宋
徐少平　王孟年　劉延順　倪觀格　蔡和璋　林泮芹　劉　競　朱少屏
徐景之　畢子陞　宗藻生　邱季才　張賡麟　王卓文　黃居素　玉學然
周志青　唐永清　王奪川　丁健行　丁觀闓　王介壽　王炳甫　王次芳
吳雲倬　劉志新　顧　與　張士德　張岱岑　鄧榮惠　胡　絜　徐　炎
王傳煊　朱幼蘭　朱綸仙　沈丹忱　張天罡　余新逖　陸靜之　方寬榮
劉泉孫　朱耐根　錢勉醒　關　璡　黃海山　王念劭　江笑山　傅谷如
周烈慶　吳夏峰　侯叔達　徐文甫　張仁虞　丁訊康　馬文彬　董敬莊

李叔獻 文　牧 文　孜 郁敬德 杜秋聲 王元度 朱繼聲 宋醉陶
石之岷 應孟仙 徐和卿 謝　健 陳錦山 方宏祥 徐利民 林植藹
趙爐青 顧康年 何文卿 陳文煥 王兆慶 沈支石 趙鐘鳴 竇毓龢
墨　禪 李筱山 竇毓鼎 竇海澄 鄭麟同 王子騫 高士光 應毓剛
周玉琦 王積中 宋汪洋 曾憲民 顏德基 許炳華 李景陳 李效宋
楊俊生 錢祥標 陳維南 陳道純 陳憲和 孫濟武 張啟瑞 曾培棨
曾培德 殷慎伯 吳景妙 張漸陸 竇海渟 李鉅元 李吉孫 潘志傑
朱斌侯 金祖同 吳君憲 狄兆然 邵　虎 葉德昭 史季方 李一午
廖世顯 趙壽臣 徐梅卿 朱星江 薛福田 趙祥卿 彭詠樵 費南瑾
傅介眉 陳　寧 張子美 曹頌章 范漢傑 陳彰玎 周鏡珊 周養溪
華南山 蔣五昌 濮清懷 涂淳甫 吳樹屏 沈孝慶 王文成 張勵存
陳福耕 王葵菴 方劍隱 馮祥蓀 朱珅琮 吳少乙 嚴懷仁 王耐之

應厚倫 秦祥生 朱文熊 李伯龍 聶含章 潘樂山 應孟仙 章鏡秋
施衍林 孫焯方 陳隆璐 陳文瑋 李健良 陳光裕 田子偉 只瑞庭
邱弁容 謝雁臣 李祖端 李祖白 李祖冰 李祖眠 李祖定 李祖農
祝志郇 吳昆生 黃志彭 謝伯輔 程海涵 盛吉祥 浦志達 張盛遠
高蔭嘉 章秉嘉 孫貽德 容雨亭 陳漢清 陸書城 梁璧叠女士
梁有烈 李健鎏 吳中一 吳志雄 張崇德 林錫泉 吳宗澄 朱綸仙
楊詠箎 利學文 邵　圭 譚勵厂 吳淮昌 何焯良 楊達平 何國良
潘恩甫 林安邦 何惠庶 何賜禮 張國威 朱蕙堂 徐志千 徐壽復
嚴炳南 金昌麒 徐榮慶 張尙德 郁志仁 顏箴之 吳寶書 唐振乾
盧元琦 徐　斌 劉愼齋 董官奎 吳壽垣 黃銀堂 梁礎立 梁廷挺
樓文藻 丁煜明 丁夢悟 陳祝齡 張慧僧 穆時英 虞大熙 陸聯輝
周修龍 余　克 陳壽齡 張耀青 薛憲章 謝馨齋 顧石甫 陸林孫

蔣文瑞　何子敬　周　飛　羅　延　康家壽　陳嘉芝　黃澤芸　俞祖欽
張睦清　吳健安　鄭肖厓　王虎角　鄭君平　羅捷文　孫葆康　馮乃培
周企唐　張貫時　顧星橋　胡聖鳴　朱沛源　唐子蔚　方公溥　戎善藩
李金山　陸巽若　何俊昌　梁棣佺　陳其昌　孫回風　裘慕俠　蔡家祥
朱讓軒　王祖訓　朱忠道　江一眞　莊智安　江笑逸　王耐芝　顧韞石
顧欽若　又　能　吳翰孫　林鑑英　金養田　金嗣龍　曾子玉　高事恆
吳士行　趙樸初　沈雍諒　王我景　步創夷　徐曜堃　許鑄生　張律均
嚴濟寬　王維屏　邵蓉僧　蔡晦漁　劉弢甫　吳涵眞　湯靖瀾　袁倬漢
袁昭漢　袁雲翰　袁琍懿女士　許淑英女士　徐愼齋　周禾書　吳　涵
許持平　倪秀仝　余嗣珊　朱蒙山　郭仲遠　黃深源　朱坤琮　陳彥衡
倪素心女士　王廉芳　胡天民　張秋平　鄭晉良　曾建勛　劉竹怦
祝堯臣　周靜溪　李子散　張筱棠　徐素梅　俞心泰　徐寶賢　蔣廷經

葛文祥　王章龍　萬競先　萬犹先　毛鳳祥　鄧襲明　李承先　范仲影
陳勤洪　楊載銘　涂淳甫　李右良　徐　侃　夏麟書　葉如舟　葉葱奇
莊智鶴　馬世錡　劉玉庵　徐雲鶴　曹余望　萬册先　黃遵夏　吳伯林
何平普　王宗鍪　徐誠炤　熊振濤　李永堅　張祖德　徐福基　陸閒雲
女士　孫仲舒　吳夢周　萬甡先　楊春生　張銘伯　萬茲先　龔鑑平
張致遠　張海[illegible]　孫勁甫　俞軒棠　周壽庭　裴元鼎　金崇光　蔣永麟
武達慶　童石均　周夢輝　沈傳麟　寧恆潔　周尙斌　楊萬青　胡燮侯
鞏晉孚　王任伊　張信澄　胡羨翊　沈昜厂　郭煥章　賀人欽　周公伊
王述之　蔡眠雲　孫以晨　王自衛　瞿　澄　陳松茂　李永明　汪葆卿
王炳麟　鄭冠曾　黃　農　張伯覲　貝樹德　胡叔文　孫梅僊　王阮亭
黃靜升　涂　鼎　張漁溪　管中一　方克濟　方志毅　姚錦熹　吳星民
古昶生　蔡和璋　戚夢覺　向武昌　褚子民　羅君愚　金印輝　丁觀聞

李厚德　孫李明　楊鳳初　程養恬　任志清　王景濤　張秀巖　楊學詩
程啓霞　王炳煒　楊覺人　翟健雄　楊裕雄　江幼南　江少南　夏溪村
諸葛瑞　葛沛昌　席裕虎　王善燮　王溢波　邱孝治　王尹叔　黃省甫
章以冀　朱叔屏　楊坤榮　周道平　姚菊亭　黃健甫　樓浩然　張德康
顏　庭　傅冰如　楊泰華　王輔慶　何維翰　張延孫　涂遜脩　王尊川
嚴鶴泉　卜曉農　徐雪賡　陳文良　吳伯陽　殷震一　陳鳳竹　羅澄志
華翔九　陳郎廷　顧振予　樂蓮華　朱叔屏　郭伯良　趙仰雄　沈照恩
陳升潮　章興瑞　董　儀　施濟羣　陳立蟾　陳嘉賓　楊世昌　裘功懋
徐省吾　顧蔭之　應仲琳　李新華女士　鄭章斐　甘兆玲　蔣文瑞
陸長華　陸琳寶　顧怡庭　徐世洪　韓榮棠　黃守一　張懷萱　黃頌夔
邱普慶　徐治平　吳英性　謝介子　俞道就　謝公展　黃抱中　朱宏基
王大佛　林志鵬　霍東生　李哀鶴　邵炳生　宋沛道　黃荆塘　孫葆康

陳彭齡 阮賓華 陸林孫 金興章 毛　璞 徐澤予 金禮楷 陳　琦
張威遠 陳輔之 林安邦 鄧志仁 路　偉 路國綿 袁孝根 屠一如
朱鐸民 畢星歧 粱洪增 張松年 董栽生 董柏臣 陳丕承 楊廉夫
王雪樓 陳季良 惲尊國 卞芷湘 吳南浦 柳章甫 唐　舜 沈一明
顧省之 徐斌金 鄭慎齋 江宗漢 湯漱風 何連芳 王炳焯 嚴　宓
孫公俊 張延孫 莊緝之 姚鳴鶴 郎旋昇 劉文燦 丁呆華 項本俠
沈叔瑜 王夫祿 陸良華 柳哲芝 胡可熞 章亮富 章子英 丁訓翙
吳國鋒 宋沛道 趙毓將 陳滬生 范善本 吳友文 姚繼灝 周惠桐
王舜列 羅　何 柳培之 秦履雲 李續川 吳金石銘 林君鶴
柳潤水 嚴岳泉 楊宗端 李少周 馮仰山 徐洪賚 呂薇孫

出外教授姓名錄

關絅之　王一亭　徐冠南　聶雲台　沈星叔　江味農　李雲書　趙雲韶
謝泗亭　向愷然　唐仲南　周　陵　黃詠秋　姚星南　申　榕　馬子宜
馬毅伯　劉佩萸　顧聯承　伍梯雲　謝慧生　鄒海濱　余伯陶　黃太玄
錢瘦鐵　譚景韓　李木公　李蜚君　李駿孫　李竺孫　李榴孫　陸稼蓀
陸振宗　陸亢宗　陸　鈿　任尙武　袁仲齊　杜恩湛　金輯五　金藻文
錢履慶　余守邦　吳叔英　唐人傑　顧巨仁　潘銘之　吳梓臣　周業勤
周孝淵　周孝芬女士　周孝傑　周孝卓　周孝恭　周榮欣女士　張鏡人
吳念劬　袁彥洪　陳少柏　鄭華枝　鄭軾弅　鄭　庭　黃膺伯　黃膺白
夫人　黃伯樵夫人　朱炎之夫人　葛敬恩　孫嘉祿　陳福海　沈　良
邱載生　孫嘉德　黃秀峰　鄭仲瑜　陳元伯　趙炎午　歐陽正明　常　惺
持　松　張子美　許世英　趙鐵橋　許崇智　吳志芬女士　吳志芳女士

吳志蘭女士 吳志廉 吳志忠 吳志琪 徐琦 陳仰和 張寅谷 富振遠 蔡伯華 何增祥 簡玉階 簡竹軒女士 簡竹堅女士 簡竹漪女士 簡仲舉 簡元祜 梁惠英女士 何芳圃 何熾昌 何漢昌 何鑽星 何錫昌 何息廬 何俊良 沈淑貞女士 沈鎭珠女士 沈麗珠女士 沈守成 沈守德 曹仁澤 施翔林 包捲青 錢峙東 馮懋熊 程子帆 謝翔鳴 張邵棠 張樹熊 錢聯元 余文亦 王化瑩 楊炳南 關敬元 耿德森 徐琦 施慶寶 劉孔懷 劉雨原 茅思源

第一屆畢業姓名

趙敵七 秦光昭

第二屆畢業姓名

錢慈嚴 胡樸安 孫聞遠 戴俊卿

蘇州分社社員姓名錄

顧孟明　沈伯銘　陳侃雍　葉鏡澄　葉景澄　施鈍夫　錢受臣　陸仰蘇
王贊侯　張燮明　陸節卿　嚴伯虞　洪仲舒　陸彥龍　曾松年　顧泰來
湯敏先　沈梅孫　沈慶年　吳垂基　居吉庭　宗子愷　吳詩初　張旭庭
沈宗南

第三屆畢業姓名

翁壯明　李衡三　周孝芬　梁鈞疇　李石華

第四屆畢業姓名

徐文甫　陳鐸民　趙祥慶　徐梅卿　張士德　方寬容

第五屆畢業姓名

應厚倫　蔡和璋　郁敬德　楊佑之　陸書臣　秦曙聲

第六屆畢業姓名

朱星江 呂瑞庭 王廉方 金養田 全嗣龍 楊也喬 何瑞國 萬甡先

廣州分社姓名錄

梁勁予 陳少鶴 鍾鈞粱 潘樞潤 翁重仁 翁廷威 路立綸 祁開仁

李子鳴 莫　鳴 符春熙 林　洪 呂　韶 何　魯 余桂聯 江澤霖

梁仕照 簡英傑 蘇星鎧 梁邦堯 胡雲倬 郭天揚 孫承洽 成符孟

鄧君碧 陸秀山 區梓庭 呂舜文 陶毅夫 周勛臣 梁柱流 陳曾珠

林　雄 成嘯田 陳益南 何日如 趙公壁 黎心彥 陳國幹 霍楚夫

趙顏芝女士 趙顏愛女士

廣州公安局

李節史 葉若霖 吳韶松 駱鳴鑾 馮焯勳 關　民 劉秉綱 葉啟芳

方書彪 王英儒 陳紀元 韋汝聰 黃孝餘 駱俠生 王堯勛 馮鶴蓀

韋樹屏 袁雪岩 伍少裴 陳燕樵 伍博愛 李錫明 王孝若 陳惠宣

覃燕樵　黃侶瑚　伍　蕃　梁耀祖　王挺喬

廣州總司令部

雷　鳴　曾　强　朱　式　馬　佩　曾如柏　陳王崑　馮定一　龍在田

黎國才　鄧慶鑣　唐灝青　溫泰華　陳克勤　李傳唐　梁孝繩　梁端寅

田渭濱　劉炎蕃　葉在琛　葉植南　饒漢杰

廣西第四集團軍辦事處

粟豁蒙　龐宜之　闞宗驊　何致榮　唐崇慈　王遜志　陳嗣鑄　劉雲韶

中山大學四百餘人

致柔拳社社員姓名錄

致柔拳社簡章

本社取老子專氣致柔之意命名曰致柔拳社

本社教授內家拳術劍術槍術以流傳國技注重養生爲宗旨

凡性情和平有恆心者可入社學習爲本社學員

本社以太極拳爲基本教授拳術願學者必須報名繳費本社同人方能教授以示平等待遇且免破壞本社之基礎

專爲却病養生者一年卒業求體用兼通可作師範者三年卒業

凡來學者分甲乙丙丁四種甲每星期學習六次乙每星期一三五或二四六學習三次丙每星期學習二次以上三種星期日休息丁每逢星期日學習一次

教授時間上午七時至九時下午四時至六時

甲種學員每月納學費十元第二年每月納學費八元第三年每月納學費六元

乙種學員每月納學費六元第三年每月納學費五元第四年以後每月納學費四元

丙種學員每星期內來學二次者每月納學費四元第四年以後每月納學費三元以爲有恆

者勸
如在未卒業期內甲種欲改爲乙丙丁種乙改爲丙丁丙改爲丁者不適用逐年減費之例
丁種學員逢星期日來學者或每星期內來學一次者每月納學費二元
甲種學員以到社之日計算滿三年卒業乙丙丁三種學員以到社之日計算滿三年卒業（每年除休息日以三百日計算）
每月學費必須按月先繳
卒業之後由本社考驗合格給以憑證將姓名登報宣布
未卒業及未經本社考驗合格不得在外教授及表演本社所授拳術以敗壞本社名譽
約至外間教授者另有簡章
如有願贊助本社經費者作爲本社名譽社員
已繳學費自不來者學費概不退還

社　長　陳微明
名譽社長　關炯之
教　授　陳志進

致柔拳社出外教授簡章

本社自開辦以來不過年餘入社者已達數百人沈痾者得起委靡者復振而外間約請往教者亦有多處以時間未能分配竟有未敢應允者良用慊然本社提倡太極拳術以其與養生實有絕大之功效故於前定簡章特標有恒二字蓋非一朝一夕之功也今以學者約往教授或有一月半月即停止者本社同人徒勞往返而他處願學者反以無暇謝絕曠日費時兩無所益今特定出外簡章約者如能遵行非特本社之幸也

一出外教授必須正式具函約請聲明遵守本社定章簽名蓋章以示鄭重

一定章本以三年卒業專爲養身者一年卒業出外教授事同一律惟最少期限須在六個月以上（以一百八十日計算）

一本社定有教授程序學者須按照程序學習不得躁急

一出外教授須在六人以上如六人以下亦須照六人繳費六人以上照加

致柔拳社簡章

一每日學習者每人每月學費十元一星期內學三次者每月學費六元一星期內學二次者每月學費四元每星期一次者每月學費二元
一學費必須按月先交
一道路太遠電車不通之處每日學習者每月加車費八元間日學者加車費四元一星期二次者三元一次者二元
一六個月屆滿繼續或停止須前十日通知本社
一教授時間每次約一小時鐘點隨時商定
一本社教授惟微明志進二人擔任並無第三人在外私相傳授茲爲對外教授之責任與名譽及本社內部之誠信起見不得不鄭重聲明故出外教授必須按照第一條正式函約經本社復函應允者方爲有效

社長陳微明
教授陳志進
共訂

致柔拳社三年畢業課程

本社創辦以來於茲二年有餘入社者不下八九百人然有恆心及不間斷者不過數人而已其餘均來去無常或作或輟雖學者宗旨各有不同然恐數年之後成就絕少於微明創辦茲社流傳國技之初心殊有未合細察現今學員頗不乏眞實求功夫者特定教授課程分年教授三年畢業列之於右

甲種第一年級太極拳　不動步推手　太極劍

第二年級太極長拳　動步推手

第三年級　大擸　散手　對劍　太極槍

每一年除星期及年節假期外以三百日計算

乙丙丁俱照規定到社之日期計算均以滿三百日爲一年

若三年之內改動種類亦須按照規定之日期計算若滿一年（即三百日）方能授第二年課程滿二年方能授第三年課程

本社設有畫到簿以憑計算到社之日期除甲種每日畫到外若乙丙丁三種於規定到社日

期畫到若有時欲借本社練習者不必畫到

本社學員三年學習期滿考驗合格照章卽予畢業畢業之後將姓名登報宣布作爲本社社員以後來社研究不再取費惟應繳之學費必須按照章程繳足方能畢業

說明

王宗岳先生太極拳論云數年純功或不能運化可見太極拳運化之難三年畢業乃至短期限不過知其規矩準繩耳第一年太極拳爲基礎習之一年則姿式不差腰能轉動不動步推手亦練腰也第二年太極長拳則動步時多兼練步之靈活動步推手亦練步也太極拳習之爛熟方能學長拳不然恐彼此牽混而雜亂矣第三年大擺求四隅之變化散手以應敵太極拳之規矩盡此矣神而明之則存乎其人甚望繼起者能發明而光大之也太極拳姿式不差卽可學劍故列之第一年太極槍及對劍非動步推手純熟不能學故列之第三年丁卯秋八月陳微明識

定價大洋一元二角

著者 陳微明

發行者 致柔拳社

印刷者 中華書局

代售處 棋盤街啟新書局
大馬路華德鐘表店
各大書坊

太極答問

附單式練法

（封面）太极答问　附单式练法

钤“陈微明印”

（题签）剖析毫芒[1]

李景林[2]题

钤“李景林印”

注释

① 剖析毫芒：或作“析毫剖芒”“析毫剖厘”，意指分析事物穷幽极微，至纤无际。语出《文子·道原》：“夫道者，陶冶万物，终始无形，寂然不动，大通混冥，深闳广大不可为外，析毫剖芒不可为内，无环堵之宇，而生有无之总名也。”

② 李景林（1885—1931 年）：字芳宸，直隶枣强人，民国将领，武术家。毕业于保定北洋陆军速成武备学堂，历任奉系军长、直隶军务督办、直隶省长等职。幼承父艺，从学技击，早年娴熟燕青门、二郎门等武技，后师从武当道士陈世钧学习武当对剑。与张之江筹组中央国术馆，任副馆长。1929 年应张静江之聘，筹备“浙江国术游艺大会”，并担纲浙江国术游艺大会评判委员长。1931 年受邀组建山东国术馆，同年 11 月 13 日逝世。陈微明作《祭李芳宸将军文》。

为微明先生所著

柔能克刚

太极拳答问　褚民谊[1]书　钤“褚民谊印”

注 释

① 褚民谊（1884—1946 年）：字重行，南浔人。1904 年东渡日本求学，后随张静江赴法国，加入同盟会，获医学博士后回国，与陈璧君义妹陈舜贞结婚。历任国立中山大学代理校长、任北伐军军医处处长、南京国民政府行政院秘书长等职，兼任上海中法国立工学院院长。1939 年，加入汪伪政权。抗战胜利后，以汉奸卖国罪被惩处。

褚民谊喜好京剧、昆曲，倡导踢毽子、放鹞子等传统健身活动，倡导国术，精于太极拳，创太极操、太极棍和太极球等强身拳法，曾任全国国术协会会长。编著《太极操》《国术源流考》《褚民谊先生武术言论集》《康健指南》等。

目 录

注释

① 太极拳源流之补遗与小说之辩证：后文章标题为“太极拳源流之补遗及小说之辩证”。依据原文，目录与章标题有不统一处，皆保留原貌。后同，不另注。

序

余从永年杨澄甫先生学太极拳八年，以资质鲁钝，故有所疑，辄喜请问。先生亦不惮烦[①]，谆谆诲余。中间先生南游，余曾从少侯[②]先生学三月，亦颇闻其绪论[③]。乙丑来沪，创办致柔拳社，教授太极拳。当时太极拳之名，知者尚鲜。不谓四年以来，风发云涌，学者必太极拳之是学，教者必太极拳之是教，浸浸乎盛矣。[④] 或谓余太极南来，先锋当属之君，余何敢当哉。太极拳之普及兴盛，可以强种国，固足欣幸。[⑤] 然又恐其泛滥而失其本源，流动而忘其规矩，溷杂而违其精意，是不可不虑也。[⑥] 爰以平日闻诸先生之讲说，作为问答若干节，聊以贡于有心于太极者。[⑦] 所不知者，不敢言也。再者每得各方赐书，问函授之法。[⑧] 太极拳运转圆曲，绵绵不断，口传手授，尚难得其准则，何能以笔墨形容。然昔许宣平，传三十七势，本是单式练法。今师其意，将太极拳中最要之式择出，为单练式，详细叙说，加以图式，较为简易可明，虽不连贯，其有益于却病延年，无丝毫之异也。

己巳[⑨]秋 陈微明识于吉祥轮室[⑩]

注释

① 不惮烦：不怕麻烦。

② 少侯：杨兆熊（1862—1930 年），字梦祥，晚字少侯，杨露禅嫡孙，杨健侯之长子，人呼“大先生”。性情矜傲刚烈，好饮酒，醉则往往出言不逊。遇贫富贵贱若一，故人多忌之者。年益高，而拳法逾紧密，出手短，而意则远；势若止，则神欲行；倏喜倏怒，若猫之捕鼠，若鹘之抟兔。自幼从乃伯杨班侯传家技，跌班侯高徒万春于门扉，门扉皆为之震坏，得班侯遗风。民国十七年（1928 年）南下南京、上海、杭州。民国十九年（1930 年）初，受民国政府交通部长王伯群延请，客其南京官邸。二月间，即传闻以自裁而谢世，其弟杨澄甫闻讯从沪赶赴南京，已入殓移柩。坊间传以“宰羊（杨）”说，以隐喻少侯被害于王伯群寓所事，曲折原委，至今成谜。

③ 绪论：言论。

④ 不谓四年以来……浸浸乎盛矣：从民国乙丑（1925 年）创社，到今民国己巳（1929 年），不料四年以来，像是疾风劲吹、云彩翻涌一样，想学拳的人，必定把太极拳作为他们正确的选择；教拳的人，也必定选太极拳作为他们必教的科目，太极拳的风气，越来越兴盛了。

⑤ 或谓余……固足欣幸：有人称赞我说，太极拳由北向南传承过程，急先锋非我莫属。我怎么敢当这个称谓呢。太极拳的普及与兴盛，可以增强民族自尊心，可以增强全民族的体质，进而国强民健，就这一点，足以让我欣慰的了。

⑥ 然又恐其泛滥……是不可不虑也：然而，繁荣的景象之中，我又怕因为传习者漫不经心，而失去其本质，找不到源流；我也怕传习者浮泛滥觞，而忘记了身形意气应有的规矩与法度；我又怕清浊浑漫，溷杂不辨而违背了太极拳精深诚意的旨意，这些都是我不得不担忧的问题。

⑦ 爰以平日闻……有心于太极者：于是，我就将平素里从各位老师那里听到的，有关太极拳的种种讲解论说，以一问一答的形式，分作若干章节，姑且奉献给各位有志于太极拳研究的人。

⑧ 再者……问函授之法：另外，我常常收到各地寄来的书信，向我询问函授太极拳的方法。

⑨ 己已：当作“己巳”。

⑩ 吉祥轮室：1925 年 7 月，关炯之、闻兰亭等发起金光明法会，以祈祷全国和平，推选程雪楼为会长，施省之、王一亭为副会长，在上海爱文义路（今北京西路）南园，敦请白普仁喇嘛（1870—1927 年）南下传法。微明先生入内坛听经，受白普仁喇嘛加持、灌顶，授得“嗡、嘛、呢、叭、咪、吽”六字大明简法及白伞盖真言。白伞盖，又称白伞佛顶、白伞盖佛顶轮王，释迦之眷属，以白净慈悲之伞盖护覆众生为本誓，左手执莲花，莲上有白伞，一如吉祥法轮。微明先生以吉祥轮室名其斋，作《记白普仁喇嘛》《忆普仁妙善二师》记其事。

太极拳源流之补遗及小说之辩正

问：太极拳果是张三丰[①]所传乎？

答：《宁波府志》载有拳术名目[②]，虽未明言是太极拳，然其中与太极名目同者甚多。黄黎洲所作《王征南墓志铭》[③]，述三丰传授源流甚详，中间曾传之宁波叶继美等，故《宁波府志》载之也。然则，太极拳，自可断定是三丰所传无疑。

注释

① 张三丰：历史上关于“张三峯”“张三峰”“张三丰”的称呼、其究竟系何朝代人、籍贯何处，都莫衷一是。现多用“张三丰”。太极拳之于张三丰，就像是木作百工之于鲁班；梨园之于唐明皇；典当、卜卦、丝纺、糕作之于关羽关老爷；华夏民族之于炎黄始祖。这是一份文化的积淀与精神慰藉。我们知道，河姆渡文明就已经有了经典的木作构件；远在唐明皇之前，夏商周时期，我们的舞蹈艺术已经达到非常高的水平；关羽关老爷也未必是典当、卜卦、丝纺、糕作业的创始人；炎黄始祖，未必与我们每个人的基因有关联性。但是，这一切，不影响我们对于鲁班，对于唐明皇，对于关老爷，对于炎黄始祖的精神皈依。

就像是太极拳，虽然我们至今还不清楚，究竟是什么年代，究竟是谁第一个将一门拳技形式，称作了太极拳。作为一门精妙的内功拳艺，一定是需要千百年的文化积淀；作为高深的太极理论，也一定是经历了千百年的文化演进；作为太极拳经典标志的太极图，也一定是经历了千百年中外文化的交融与碰撞。但无论如何，这一切的一切，张三丰之于太极拳，就始终像是一份挥之不去的情结，不是谁想否定，就能否定得了；谁想漠视，就能漠视得了的。

究其太极拳的传承源流，就像是传统大宗族的续修家谱，显然，我们只能从自身出发，找父辈，再找祖辈、曾祖辈……一代代溯流而上，追探其本，而不能从炎黄始祖开始，一代代往下顺流下来，这样就会迷失自己的家园。追溯太极拳的传承源流也一样，我们不妨从自身的拳技流派出发，由下而上一辈一辈、一代一代地追寻先祖，而不能一味地好古敏求，贸然地从许宣平或李道子等仙流，一代代地往下找寻自己的身影，这样一定会迷失自己。

② 《宁波府志》载有拳术名目：雍正曹秉仁纂修《宁波府志》卷三十一艺术载：

张松溪，鄞人，善搏，师孙十三老。其法自言起于宋之张三峰。三峰为武当丹士，徽宗召之，道梗不前，夜梦元帝授之拳法，厥明以单丁杀贼百余，遂以绝技名于世。由三峰而后至嘉靖时，其法遂传于四明，而松溪为最著。松溪为人恂恂如儒者，遇人恭敬，身若不胜衣，人求其术辄逊谢避去。时少林僧以拳勇名天下，值倭乱，当事召僧击倭，有僧七十辈，闻松溪名，至鄞求见，松溪蔽匿不出，少年怂恿之，试一往，见诸僧方校技酒楼上，忽失笑，僧知其松溪也，遂求试，松溪曰：“必欲试者，须召里正，约死无所问。”许之，松溪袖手坐，一僧跳跃来蹴，松溪稍侧身，举手送之，其僧如飞丸陨空堕重楼下，几毙，众僧始骇服。尝与诸少年入城，诸少年闭之月城中，罗拜，曰：“今进退无所，幸一试之。”松溪不得已，乃使诸少年举圜石可数百觔者累之，谓曰：“吾七十老人无所用，试供诸君一笑，可乎?”

举左手侧而劈之，三石皆分为两，其奇异如此。

松溪之徒三四人，叶近泉为之最。得近泉之传者，为吴昆山、周云泉、单思南、陈贞石、孙继槎，皆各有授受。昆山传李天目、徐岱岳；天目传余波仲、陈茂弘、吴七郎；云泉传卢绍岐；贞石传夏枝溪、董扶舆；继槎传柴元明、姚石门、僧耳、僧尾；而思南之传则有王征南。征南名来咸，为人尚义，行谊修谨，不以所长炫人。

盖拳勇之术有二，一为外家，一为内家。外家则少林为盛，其法主于搏人，而跳踉奋跃，或失之疎，故往往为人所乘。内家则松溪之传为正，其法主于御敌，非遇困危则不发，发则所当必靡，无隙可乘，故内家之术为尤善。其搏人必以其穴，有晕穴，有哑穴，有死穴，相其穴而轻重击之，无毫发爽者。其尤秘者，则有敬、紧、径、劲、切五字诀，非入室弟子不以相授，盖此五字不以为用而所以神，其用犹兵家之仁、信、智、勇、严云。

③《王征南墓志铭》：黄宗羲《南雷文定集》之王征南墓志铭：

少林以拳勇名天下，然主于搏人，人亦得以乘之。有所谓内家者，以静制动，犯者应手即仆，故别少林为外家。盖起于宋之张三峰。三峰为武当丹士，徽宗召之，道梗不得进，夜梦玄帝授之拳法，厥明，以单丁杀贼百余。

三峰之术，百年以后，流传于陕西，而王宗为最著。温州陈州同从王宗受之，以此教其乡人，由是流传于温州。嘉靖间，张松溪为最著。松溪之徒三四人，而四明叶继美近泉为之魁。由是流传于四明。四明得近泉之传者，为吴昆山、周云泉、单思南、陈贞石、孙继槎，皆各有授受。昆山传李天目、徐岱岳。天目传余波仲、吴七郎、陈茂弘。云泉传卢绍岐。贞石传董扶舆、夏枝溪。继槎传柴元明、姚石门、僧耳、僧尾。而思南之传，则为王征南。

思南从征关白，归老于家，以其术教授。然精微所在，则亦深自秘惜，掩关而理，学子皆不得见。征南从楼上穴板窥之，得梗概。思南子不肖，思南自伤身后莫之经纪。征南闻之，以银卮数器，奉为美槚之资。思南感其意，始尽以不传者传之。

征南机警，得传之后，绝不露圭角，非遇甚困则不发。尝夜出侦事，为守兵所获，反接廊柱，数十人轰饮守之。征南拾碎磁，偷割其缚，探怀中银，望空而掷。数十人方争攫，征南遂逸出。数十人追之，皆殕地，匍匐不能起。行数里，迷道田间，守望者又以贼也，聚众围之。征南所向，众无不受伤者。岁暮独行，遇营兵七八人，挽之负重。征南苦辞求免，不听。征南至桥上，弃其负。营兵拔刀拟之。征南手格，而营兵自掷仆地，铿然刀堕，如是者数人。最后取其刀投之井中，营兵索绠出刀，而征南之去远矣。

凡搏人者，皆以其穴。死穴，晕穴，哑穴，一切如铜人图法。有恶少侮之者，为征南所击。其人数日不溺，踵门谢过，始得如故。牧童窃学其法，以击伴侣，立死。征南视之，曰：此晕穴也，不久当苏。已而果然。征南任侠，尝为人报仇，然激于不平而后为之。有与征南久故者，致金以仇其弟。征南毅然绝之曰：此以禽兽待我也。

征南名来咸，王氏，征南其字也。自奉化来鄞。祖宗周，父宰元，母陈氏。世居城东之车桥，至征南徙忝。少时，隶卢海道若腾。海道较艺给粮，征南尝兼数人，直指行部。征南七矢破的，补临山把总。钱忠介公建，以中军统营事，屡立战功，授都督佥事副总兵官。事败，犹与华兵部勾致岛人，药书往复。兵部受祸，雠（同“仇”）首未悬，征南终身菜食以明此志，识者哀之。

征南罢事家居，慕其才艺者，以为贫必易致，营将皆通殷勤，而征南漠然不顾，锄地担粪，若不知己之所长，有易于求食者在也。一日，过其故人，故人与营将同居，方延松江教师，讲习武艺。教师倨坐弹三弦，视征南麻巾缊袍若无有。故人为言征南善拳法，教师斜盼之曰：若亦能此乎？征南谢不敏。教师轩衣张眉曰：亦可小试之乎？征南固谢不敏。教师以其畏己也，强之愈力。征南不得已而应。教师被跌，请复之，再跌，而流血被面，教师乃下席，贽以二缣。

征南未尝读书，然与士大夫谈论，则蕴藉可喜，了不见其为麤（同“粗”）人也。余弟晦木，尝揭之见钱牧翁，牧翁亦甚奇之。当其贫困无聊，不以为苦，而以得见牧翁，得交余兄弟，沾沾自喜，其好事如此。余尝与之入天童，僧山焰有膂力，四五人不能掣其手，稍近征南，则蹶然负痛。

征南曰：今人以内家无可炫耀，于是以外家搀入之，此学行当衰矣！因许叙其源流。

忽忽九载。征南以哭子死，高辰四状其行，求余志之。生于某年丁巳三月五日，卒于某年己酉年二月九日，年五十三。娶孙氏，子二人。梦得前一月殇；次祖德。以某月某日葬于同岙之阳。铭曰：有技如斯，而不一施，终不鬻技，其志可悲。水浅山老，孤坟孰保？视此铭章，庶几有考。

问：《三丰集》曾载数传而至关中王宗[1]。王宗与王宗岳是一人？抑系二人耶？

答：王宗乃陕西人，宗岳山西人。以为一人者，误也。宗岳先生，大约是清初时人。王宗，则元末明初之人也。

注 释

①《三丰集》曾载数传而至关中王宗：《三丰全书》拳技派载，"王渔洋先生云，奉勇之技，少林为外家，武当张三丰为内家。三丰之后，有关中人王宗，宗传温州陈州同。州同，明嘉靖间人。故今两家之传，盛于浙东。顺治中，王来咸字征南，其最著者，鄞人也。雨窗无事，读《聊斋》李超始末，因识于后。又云，征南之徒，又有僧耳、僧尾者，皆僧也。"

问：太极拳除张三丰祖师一脉流传，尚有其他派否？

答：相传尚有四派，列之于右：

唐许宣平[1]所传，要诀有《八字歌》《心会论》《周身大用论》

《十六关要论》《功用歌》，传宋远桥。

夫子李[2]，传之俞氏，再传俞清慧、俞一诚、俞莲舟、俞岱岩。

韩拱月传程灵洗[3]，再传程珌。有《用功五志》《四性归原歌》。

殷利亨传胡镜子，再传宋仲殊[4]。

以上皆别一流派，其详不可得而记云。

注 释

① 许宣平：《太极功源流支派论》载许宣平事：

许先师，系江南徽州府歙县人。睿宗景云年中，隐城阳山，结庵南坞，辟谷。身长七尺六，髯长及脐，发长至足，颜若四十许人，行疾奔马。时或负薪，卖于市中，薪担常挂一花瓢及竹杖，每醉行，腾腾以归。吟曰："负薪朝出卖，沽酒日西归。路人莫问归何处，穿行白云入翠微。"

迩来三十年，或施人危急，或救人疾苦，市人多访之不见。但览庵壁题诗云："隐居三十载，筑室南山巅，静夜翫明月，闲朝戏碧泉。樵人歌垄上，谷鸟戏岩前。乐以不知老，都忘甲子年"。

时人多诵其诗。天宝中，李白访之不遇，题诗庵壁曰："我吟传舍诗，来访仙人居。烟岭迷高迹，云林隔太虚。窥庭但萧索，倚仗空踌蹰。应化辽天鹤，归当千载余。"

先师归庵，见壁诗，又吟曰："一池荷叶衣无尽，两亩黄精食有余。又被人来寻讨着，移庵不免更深居。"其庵后被野火烧之，莫知所踪。

② 夫子李：《太极功源流支派论》载夫子李事：

既云唐人，何以知之至明时之夫子李，即是李道子先师焉？缘予上祖游江南泾县俞家，方知先天拳亦如予之三十七式，太极之别名也。而又知俞家是唐时李道子所传也。俞家代代相承之功，每岁往拜，李道子庐至宋时尚在也，越代不知所往也。

至明时，予同俞莲舟游湖广襄阳府均州武当山，夫子见之叫曰："徒再孙焉往?”莲舟抬头一看，斯人面垢正厚，发髭不知如何参地味臭。莲舟心怒，曰：“尔言之太过也。吾观汝一掌必死，尔去罢。”夫子李云：“重再孙，我看看你这手。”莲舟上前，连捆带捶，未依身，则起高十丈许，落下，未坏折筋骨。莲舟曰：“你总用过功夫，不然能扔我者鲜矣。”夫子李曰：“你与俞清慧、俞一诚认识否?”莲舟闻言之悚然：“此皆予上祖之名也。”急跪曰：“原来是我之先祖师至也。”夫子李曰：“吾在此几十韶光未语，今见你诚哉大造化也。授你如此如此。”莲舟自此不但无敌，而后亦得全体大用矣。

③ 程灵洗：《太极功源流支派论》载程灵洗事：

程灵洗，字符涤，江南徽州府休宁人，授业于韩拱月，太极之功成大用矣。侯景之乱，惟歙州保全，皆灵洗力也。梁元帝授以本郡太守，卒谥忠壮。

至程珌，为绍兴中进士，授昌化主簿，累权吏部尚书，拜翰林学士，立朝刚正，风裁凛然，进封新安郡侯，以端明殿学士至仕，卒。

珌居家，常平粜以济人，凡有利于众者，必尽心焉，所著有《洺水集》。珌将太极功拳名，立一名为小九天，盖珌之遗名小九天。书韩传者，不敢忘先师之所传也。

④ 宋仲殊：《太极功源流支派论》载仲殊事：

胡境子，其在扬州，自称之名，不知姓氏，此是宋仲殊之师也。仲殊，安州人，尝游姑苏台，柱上倒书一绝云：天长地久任悠悠，你既无心我亦休，浪迹天涯人不管，春风吹笛酒家楼。

问：河南陈长兴所传弟子，除杨露禅外，尚有他知名者否?

答：闻尚有河南怀庆府陈清平[1]者，亦得长兴先生之传。陈传之武禹让[2]，武传之李亦畬，李传之郝为桢，郝传之孙禄堂先生。

注释

① 陈清平（1795—1868 年）：祖辈由温县小刘村迁入王圪垱村，再由王圪埇村迁入赵堡镇。精拳艺，武禹襄从杨露禅习练拳技十数年后，访陈长兴不遇，过赵堡镇，随陈清平学拳一月，得其精要，拳技自成一家。

② 武禹让：“武禹襄”之误。

问：不肖生[①]所作《江湖奇侠传》[②]，述及杨家，多有诋毁之词。其所载班侯之事[③]确否？

答：皆道听途说之言，毫不足据。自古文人且相轻，何况不读书不识字之武夫。故名愈高者，妒之者愈众。种种不实之传说，反出于同门之后生。而小说家苦无材料，偶闻一段故事，即渲染成篇，种种附会，无中生有，只可作为小说观。然毁人名誉，往往招口舌之祸，亦不可不慎也。

注释

① 不肖生：原名向恺然（1889—1957 年），名逵，笔名不肖生，湖南平江人，故署名平江不肖生。武侠小说家，武术活动家。二度东游日本，先后进入华侨中学与法政大学，兼修文学和武术。武侠小说《江湖奇侠传》，被视为近代武侠小说的先驱，被上海明星影业公司拍摄成电影《火烧红莲寺》，连拍十八集，放映时造成万人空巷情势，后又绘制成连环图，影响更大。1932 年，应湖南省政府主席何键之聘，回湖南创办国术训练所和国术俱乐部。著有《拳术见闻录》《拳术传薪录》《拳师言行录》《拳经讲义》等专著。1957 年准备撰写《中国武术史话》时，患脑溢血去世。

② 《江湖奇侠传》：盖《侠义英雄传》之误。

③ 班侯之事：《侠义英雄传》第五十一回载班侯事：

这日来了一个拜年客，他见面认得这人姓吴名鉴泉，是练内家工夫的，在北京虽没有赫赫之名，然一般会武艺的人，都知道吴鉴泉的本领了得。因为吴鉴泉所练的那种内家工夫，名叫太极，从前又叫作绵拳，取缠绵不断及绵软之意，后人因那种工夫的姿势手法，处处不离一个圆字，仿佛太极图的形式，所以改名太极。相传是武当派祖师张三丰创造的，一路传下来，代有名人。到清朝乾隆、嘉庆年间，河南陈家沟的陈长兴，可算得是此道中特出的人物。陈长兴的徒弟很多，然最精到最享盛名的，只有杨露禅一个。杨露禅是直隶人，住在北京，一时大家都称他为“杨无敌”。杨露禅的徒弟也不少，惟有他自己两个儿子，一个杨健侯，一个杨班侯，因朝夕侍奉他左右的关系，比一切徒弟都学得认真些。只是健侯、班侯拿着所得的工夫与露禅比较，至多也不过得了一半。班侯生成的气力最大，使一条丈二尺长的铁枪，和使白蜡杆一般的轻捷。当露禅衰老的时候，凡要从露禅学习的，多是由班侯代教，便是外省来的好手，想和露禅较量的，也是由班侯代劳。有一次，来了一个形体极粗壮的蛮人，自称枪法无敌，要和露禅比枪。露禅推老，叫班侯与来人比试。那人如何是班侯的对手，枪头相交，班侯的铁枪只一颤动，不知怎的，那人的身体，便被挑得腾空飞上了屋瓦，枪握在手中，枪头还是交着，如鳔胶粘了的一般。那人就想将枪抽出也办不到，连连抽拔了几下，又被班侯的枪尖一震，那人便随着一个跟斗，仍旧栽下地来，在原地方站着。那人自是五体投地的佩服，就是班侯也自觉打得很痛快，面上不由得现出得意的颜色。不料杨露禅在旁边看了，反做出极不满意的神气，只管摇头叹道：“不是劲儿，不是劲儿！”班侯听了，心里不服，口里却不敢说什么，只怔怔地望着露禅。露禅知道班侯心里不服，便说道：“我说你不是劲儿，你心里不服么？”班侯这才答道：“不敢心里不服，不过儿子不明白要怎么才算是劲儿？”杨露禅长叹道：“亏你跟我练了这么多年的太极，到今日还不懂劲。”边说边从那人手中接过那枝木枪，随意提在手中，指着班侯说道：“你且刺过来，看你的劲儿怎样？”他们父子平日对刺对打惯了的，视为很平常的事，班侯听说，即挺枪刺将进去，也是不知怎的，杨露禅只把枪尖轻轻向铁枪上一搁，班侯的铁枪登时如失了知觉，抽不得，刺不得，拨不得，揭不得，用尽了平生的气力，休想有丝毫施展的余地，几下就累出了一身大汗。杨露禅从容问道：“你那枪是不是劲儿？”班侯直到这时分才心悦诚服了。

吴鉴泉的父亲吴二爷，此时年才 18 岁，本是存心要拜杨露禅为师，练习太极的，无奈杨露禅久已因年老，不愿亲自教人，吴二爷只得从杨班侯学习。杨班侯的脾气最坏，动辄打人，手脚打在人身上又极重，从他学武艺的徒弟，没一个经受得住他那种打法，至多从他学到一二年，无论如何也不情愿再学下去了。吴二爷从 18 岁跟他学武艺，为想得杨班侯的真传，忍苦受气地练到 26 岁，整整练了八年。吴二爷明知有许多诀窍，杨班侯秘不肯传，然没有方法使杨班侯教授，惟有一味地苦练，以为熟能生巧，自有领悟的时候。谁知这种内家工夫，不比寻常的武艺，内中秘诀，非经高人指点，欲由自己一个人的聪明去领悟，是一辈子不容易透澈的。这也是吴二爷的内功合该成就，凑巧这回杨班侯因事出门去了，吴二爷独自在杨家练工夫，杨露禅一时高兴，闲操着两手，立在旁边看吴二爷练习，看了好大一会时间，忽然忍不住说道：“好小子，能吃苦练工夫，不过工夫都做错了，总是白费气力。来来来，我传给你一点儿好的吧！”吴二爷听了这话，说不出的又高兴又感激，连忙爬在地下对杨露禅叩头，口称：“求太老师的恩典成全。”杨露禅也是一时高兴，将太极工夫巧妙之处，连说带演的，尽情说给吴二爷听。吴二爷本来聪颖，加以在此中已用过了八年苦功，一经指点，便能心领神会。杨班侯出门耽搁了一个月回来，吴二爷的本领已大胜从前了，练太极工夫的师弟之间，照例每日须练习推手，就在这推手的里面，可以练出无穷的本领来。这人工夫的深浅，不必谈话，只须一经推手，彼此心里就明明白白，丝毫勉强不来。杨班侯出门回来，仍旧和吴二爷推手，才一粘手，杨班侯便觉得诧异，试拿吴二爷一下，哪里还拿得住呢？不但没有拿住，稍不留神，倒险些儿被吴二爷拿住了，原想不到吴二爷得了真传，有这么可惊的进步。当推手的时候，杨班侯不曾将长袍卸下，此时一踏步，自己踏着了自己的衣边，差点儿跌了一交。吴二爷忙伸手将杨班侯的衣袖带住，满口道歉。杨班侯红了脸，半晌才问道："是我老太爷传给你的么?"吴二爷只得应是。杨班侯知道工夫已到人家手里去了，无可挽回，只好勉强装作笑脸说道："这是你的缘法，我们做儿子的，倒赶不上你。"从此，杨班侯对吴二爷就像有过嫌隙的，无论吴二爷对他如何恭顺，他只是不大睬理。

吴二爷知道杨班侯的心理，无非不肯拿独家擅长的太极，认真传给外姓人，损了他杨家的声望。自己饮水思源，本不应该学了杨家的工夫，出来便与杨家争胜，只得打定主意，不传授一个徒弟，免得招杨家的忌。自己的儿子吴鉴泉，虽则从小就传授了，然随时告诫，将来不许与杨家争强斗胜。一般从杨家学不到真传的，知道吴二爷独得了杨露禅的秘诀，争着来求吴二爷指教。吴二爷心里未尝不想拣好资质的，收几个做徒弟，无奈与杨家同住在北京，杨健侯、杨班侯又不曾限制收徒弟的名额，若自己也收徒弟，显系不与杨家争名，便是与杨家争利，终觉问心对不起杨露禅，因此一概用婉言谢绝……

《侠义英雄传》第五十二回载班侯事：

吴鉴泉此时年轻，心里还不相信有这么一回事，但是吴二爷自服下这颗丹药，精神陡长，比以前越发健朗了。从此，有资质好的徒弟来拜师，吴二爷便不拒绝了。吴、杨两家的太极拳法，虽都是由杨露禅传授下来的，然因吴二爷招收徒弟的缘故，杨家这方面的人，对之总觉有些不满，但又不便倡言吴二爷所学的非杨氏真传。

杨露禅死后，京城里便喧传一种故事，说杨露禅在将死的前一日，就打发人通知各徒弟，说师傅有事须出门去，教众徒弟次日上午齐集杨家，师傅有话吩咐，众徒弟见老年的师傅要出门，自然如约前来送别。次日各徒弟走到杨家门首，见门外并无车马，不像师傅要出门的样子，走进大门，只见露禅师傅盘膝坐在厅堂上，班侯、健侯左右侍立。众徒弟挨次立在两旁，静候露禅师傅吩咐。露禅师傅垂眉合目地坐着，直待所有的徒弟都到齐了，才张眼向众徒弟望了一遍，含笑说道："你们接了我昨日的通知，以为我今日真是要出门去么？我往常出门的时候，并不曾将你们传来，吩咐过什么话，何以这回要出门，就得叫你们来有话吩咐呢？因为我往常出门，少则十天半月，多则一年半载，仍得回家来和你们相见。这回却不然，我这回出门，一不用车，二不用马，这一去就永远不再回家，永远不再和你们会面，所以不能不叫你们来，趁此时相见一次。至于我要吩咐的话，并没有旁的，就只盼望你们大家不要把我平日传授的工夫抛弃了，各自好好地用功做下去，有不明白的地方，可来问你们这两个师兄。"说时手指着班侯、健侯。说毕，教班侯附耳过来，班侯连忙将耳朵凑上去，露禅师傅就班侯耳根前低声说了几句，班侯一面听，一面点头，脸上现出极欣喜的颜色。露禅师傅说完了，杨班侯直喜得跳起来，拍掌笑道："我这下子明白了，我这下子明白了！原来太极拳有这般的巧妙在内。"众徒弟见杨班侯这种欢喜欲狂的样子，不知道为的什么事，争着拉住杨班侯问："师傅说的什么？"杨班侯连忙双手扬着笑道："此时和你们说不得，全是太极拳中的秘诀。你们各自去发奋练习，到了那时候，我可以酌量传授些给你们。"这里说着话，再看露禅师傅时，已是寿终正寝了。这种故事一喧传出来，京内外会武艺的朋友，便有一种议论道："杨班侯是杨露禅的儿子，班侯的武艺，是露禅传授的，父子朝夕在一处，有什么秘诀，何时不可以秘密传授，定要等到临死的时候，当着一干徒弟的面，是这般鬼鬼祟祟地传授？"究竟是一种什么举动，既是秘传，就不应当着人传；当着不相干的人也罢了，偏当着一干徒弟。这些徒弟花钱拜师，就是想跟杨露禅学武艺，你杨露禅藏着重要的秘诀不传，已是对于天良道德都有些说不过去了，却还要故意当着这些徒弟，如此鬼鬼祟祟地传给自己的儿子，而接受秘传的杨班侯，更加倍地做出如获至宝的样子，并且声明全是太极拳中的秘诀，当时在场的徒弟，果然是心里难过，独不解杨露禅父子那时面子上又如何过得去的。事后还有一种议论，说杨露禅这番举动，是因自己两个儿子都在京师教拳，声名不小，恐怕这些徒弟也都在京师教起太极拳来，有妨碍自己儿子的利益，所以特地当着众徒弟，做出这番把戏来，使外边一般人知道杨露禅的秘传，直到临死才传给儿子，旁人都不曾得着真传授，不学太极则已，要学太极就非从杨家不可。这是一种为子孙招徕生意的手段，其实何尝真有什么秘诀，是这么三言两语可以说的明白！又有一种议论，就说杨露禅这番举动，是完全为对付吴二爷的，因为吴二爷原是杨班侯代替杨露禅教的徒弟，班侯见吴二爷精明机警，存心不肯将真传授予，想不到自己出门去了，杨露禅不知儿子的用意，将秘诀尽情传给了吴二爷，杨班侯回来，险些败在徒弟手里，背后免不得抱怨老头子，不为子孙将来留地步。因此杨露禅临终的做作，不教杨健侯附耳过来，却教杨班侯附耳过来，无非要借此表示真传是杨班侯独得了。

以上三种议论和那故事同时传播，因之杨、吴两家表面上虽不曾决裂，骨子里都不免有些意见。杨班侯的脾气生成暴躁，既不肯拿真工夫传授徒弟，又欢喜拿徒弟做他自己练习工夫的靶子，时常把徒弟打得东歪西倒，以致徒弟望着他就害怕，没有一个在杨班侯手里练成了武艺的。就是吴二爷，若没有杨露禅是那么将真传授予，也是不会有成功希望的。

庚子那年，大刀王五是个与义和团没有丝毫关系的人，尚且横死在外国人手里，杨班侯的拳名不亚于王五，又是端王的拳师傅，怎能免得了嫌疑呢？当联军还不曾入京的时候，就有人劝杨班侯早走，无奈杨班侯生成的傲性，一则仗着自己的武艺好，不怕人；二则他一晌住在端王邸里，真是养尊处优，享从来拳教师所未尝享过的幸福，终日终夜地躺在炕上抽鸦片烟，好不舒服，如何舍得这种好所在，走到别处去呢？但是联军入京，很注意这端王邸，就有一队不知是哪一国的兵，竟闯进端王邸里来了。幸喜杨班侯早得了消息，外兵从大门闯进，杨班侯骑了一匹快马从后门逃出，手中并没有抢着兵器，仓卒之间仅夹了一大把马箭，打马向城外飞跑。刚跑出城，就见从斜刺里出来一队外兵，大喊站住，杨班侯不懂得外国语，不作理会，更将两脚紧了一紧，马跑得越发快了。那一队外国兵不知杨班侯是什么人，原没有要捉拿他的打算，只因看见他胁下夹着一大把马箭，又骑着马向城外飞跑，一时好奇心动，随意呼喝一声，以为中国人见了外国兵就害怕，一经呼喝便得勒马停缰不跑的，打算大家将那一大把马箭夺下来，作为一种战利品。不料杨班侯不似一般无知识的中国人胆小，公然不作理会，并且越发跑得快了。这一队外兵看了，不由得恼怒起来，在前面的接着又喝了几声，杨班侯仍是不睬。这外兵便拔步追上来，因是从斜刺里跑过来的，比从背后追上来的容易接近，看看相距不过几丈远近了，杨班侯抽了一枝箭在手，对准那外兵的脑门射去，比从弓弦上发出去的还快，不偏不倚地正射在脑袋上，入肉足有二三寸，那外兵应手而倒。跟在后面追的见了，想不到这人没有弓也能放箭，心里大吃一惊，正要抽出手枪来，不提防杨班侯的第二枝箭又到了，也是正着在脑袋上，仰面便倒。以后的兵这才各自拔出枪来射击，而这些兵的枪法都很平常，又是一面追赶，一面放枪，瞄准不能的当，只能对着杨班侯那方面射去，哪里射得着呢？有一颗子弹恰好从杨班侯的头顶上擦过去，将头皮擦伤了少许，杨班侯大吃一惊，不敢坐在马上，将身体向旁边横着，亏得是一匹端王平日最爱的好马，能日行七八百里，步行的外国兵如何能追得上呢？一转眼工夫，子弹的力量就达不到了。杨班侯自从这次逃出北京，以后便没了下落。有说毕竟被外国人打死了的，有说跟随端王在甘肃的，总之不曾再回北京来。

太极拳之姿式

问：太极拳自揽雀尾至合太极，七十余式[①]，三丰时所传。即是如此，抑有所变动耶?

答：闻以前太极拳，是单式练法，而不连贯。[②] 不知始于何时，将单练之各式，连为一气。以愚意揣之，大约始于王先生宗岳。因先生所作《太极拳论》，有各式之名目，系连为一气也。故宗岳先生，对于太极拳术，其功绝伟。若不连为一气，恐早失其传矣。

注释

① 七十余式：式势计算方式不尽相同，概说其数。

二水按：微明先生《太极拳术》目录下之“太极拳式”自“太极起式”至“合太极”，合计八十式。而正文则以“揽雀尾”起，述至“合太极”，凡图例五十帧，文字详述五十四例，重复略说二十余式。且目录中“左右分脚”为一式，正文详述为“左分脚”“右分脚”两式。目录中“揽雀尾”“单鞭”皆作两式，正文详述简作“上步揽雀尾单鞭”，或简作“进步揽雀尾单鞭”。目录中“白蛇吐信”在第二个“十字手”之后，即今杨式大架第三节中，而正文详述时，将第二个“十字手”之前，即今杨式大架第二节中

"进步栽锤"后。所以，同一书内，计算式势，也未尽相同，是以"七十余式"概说之。

另，杨澄甫《太极拳使用法》目录作"太极拳十三式"，目录下罗列自"太极起式"至"合太极"七十八个式势。正文分作九十四节详述各式势之使用法。

② 闻以前太极拳，是单式练法，而不连贯：民国初年，袁世凯幕僚宋书铭，自言为宋远桥十七世孙，其太极拳式名三世七，拳式名称与杨式太极拳名目大同小异，推手法亦相同，趋重单式练法。杨式太极拳老谱三十二目"八五十三势长拳解"云："自己用功，一势一式，用成之后，合之为长拳。滔滔不断，周而复始，所以名为长拳也。万不得不有一定之架子，恐日久入于油滑也，又恐入于硬拳也，决不可失其绵软"，此节文字简明扼要，清晰地解释了十三势与长拳的关系，也从中可以了解杨氏早年在北京传授太极拳，也是先单式训练，每一式势练至娴熟后，合起来便是滔滔不绝的长拳了。

问：北京练太极拳者，俱是杨家所传，何以形式又略有不同之处?

答：形式虽略有不同，其意未尝不同。其所以略有不同之处，据愚意揣测，盖有二端：一，昔时师徒之分极严，心有不明，不敢多问。而为师者，又不肯时演与学者观之，故不能得最准确之姿式；一，虽得准确之姿式，而数传之后，因各人之性情不同，遂无形变改，自不能觉。故太极，非传者有极精密之教法[①]，学者极沈细之研究[②]，不能得也。

注释

① 极精密之教法：极其精确慎密的教学方式。老师明明白白地教，须得因人施教，根据不同个体来设计教学方案。

② 极沈细之研究：极其沉浸细致的学习方式。学生认认真真地学，须得把自己全身心浸泡在其间，悉心体悟，去知去觉每一式势于己于人的些许运动变化。

问：然则太极拳之姿式，何者为准确？何者非准确？何从而断定之乎？

答：以王宗岳先生所言之立身须“中正安舒①”四字为准。中正者，不偏不倚之谓也；安舒者，自然舒适，不紧张用力者是也。余所作《太极拳术之十要》②，亦为姿式之准则。如头无虚灵顶劲，两面倾侧摇动，挺胸直立，上重下轻，两腿双重，虚实不清，转动太快，手法含糊，忽高忽低，两肩乱动，脚步太小，腰不转动，皆失其规矩者。总要，“中正安舒”，无处不到，十要之意思，均包涵而不漏，此则虽不能至③，亦相去不远矣。

注释

① 中正安舒：武禹襄作“打手要言”，有“立身中正安舒，支撑八面”及“立身须中正不偏，能八面支撑”语，杨式传抄者在武禹襄讲论基础上，窜益成“十三势行功心解”，误会作王宗岳言论，“十三势行功心解”载有“发劲须沉着松净，专主一方，立身须中正安舒，支撑八面”，微明先生因此也将此论，误作王宗岳所言。

② 余所作《太极拳术之十要》：即微明先生《太极拳术》中，由杨澄

甫口授，陈微明笔述的《太极拳术十要》一文。十要分别为：虚灵顶劲，含胸拔背，松腰，分虚实，沉肩坠肘，用意不用力，上下相随，内外相合，相连不断，动中求静。

③ 虽不能至：语出《史记·孔子世家》：“太史公曰：诗有之：‘高山仰止，景行行止’，虽不能至，然心向往之。余读孔氏书，想见其为人。”意思是说，“杨澄甫口授的《太极拳术之十要》相对太极拳艺而言，就像是诗经所说的‘高山仰止，景行行止’，高山巍巍，只能抬头仰望；品德高尚的先贤，我们只能亦步亦趋地跟行。但是只要做到了‘中正安舒’，虽然还达不到‘十要’的全部要求，但离真正的要领也就不远了。”

问：有人言脚步不可太大，太大则换步不灵，是否?

答：此说亦不错。惟初练架子时，步须开展，总以两腿之一直一曲为准则①。如左腿直，则右腿曲。所曲之腿，以膝与足尖成一垂线为准，则腰可松下。前后转动，步太小，则腰之转动亦小，对方来势如猛，则无消化之余地，不得不退步矣。如遇路窄，无地可退，则无可如何。如步稍大，以腰转动，则可化对方之力而还击之。

注 释

① 两腿之一直一曲为准则：实腿，膝与脚尖成一垂线，谓之“曲”；虚腿，自然会斜向的“自”成一条斜边。

二水按：文字来表述动作形态，其实是一件勉为其难的事，因为文字本身极具异议。理解此节文字，宜从“十要”中的“松腰”“分虚实”两个层面去理解“两腿之一直一曲”，而不能单纯地从两腿外形上的一直一曲去强求。譬如微明先生在描述右前左后的虚实脚时，常说的“全身坐在左腿，左腿变实，右腿变虚”，这种状态下，一个“坐”字非常精到，能够把太极拳“收腹敛臀”“松腰落胯”的要领全都包括了。但回过头来看看自己的两腿，“坐在左腿”的实脚，因为膝与脚尖成垂线，所以一定是曲的。而变成虚腿的右腿，虽然是“自”“斜”着的，其实也依然是曲的。孙禄堂先生《太极拳学》中的文字表述更为精到：“右足横自着，左膝与左足跟成一垂直线。两腿里屈要圆满，不可有死弯子。”无论直腿还是屈腿，“两腿里屈要圆满，不可有死弯子”，道尽了太极拳曲中求直，方圆相济之精义。而不能从两腿外形上，一味地去强调“一直一曲”，否则就会呈现僵硬的姿态，不合太极拳身法要义。

问：有人言架子不可太低，然否?

答：架子低，则步大，腰可转动。架子高，则步小，腰之转动亦小。其高低总以两腿一直一曲为度，是适中之步。如过于低，则重心下陷，而不能往前，虚实反不能分。《太极拳论》云：“先求开展，后求紧凑”①，若功夫纯熟之时，步法手法，均可收小，神而明之，存乎其人。故其小者，乃由大而来；其高者，由低而来；其紧者，由松而来；其断者，由绵绵而来。如此，则其小者、高者、紧者、断者，方有把握。不然，则恐遇紧急时，仍不能随机应变，步法散乱，而不免于穷促也。

注释

① 先求开展，后求紧凑：杨式传抄者窜益成的“十三势行功心解”中，有“先求开展，后求紧凑，乃可臻缜密也矣”句，李亦畬抄本不载，显然是杨氏在北京两代人教学经验的积累，而非王宗岳《太极拳论》语。

二水按：微明先生早年在北京也从杨少侯问过艺，少侯晚年南下沪上时，微明先生也从其学。微明先生眼里，少侯拳技“年益高，而拳法益紧密，出手甚短，而意则远；势若止，而神欲行，倏喜倏怒，目呲尽裂，若猫之捕鼠，若鹘之抟兔。”可见，即便小架如少侯先生，他前后的拳架也有“先求开展，后求紧凑”的变化。

问：有人言架子不必多练，但习推手，即可长功夫，然否?

答：凡轻视架子者，皆未得架子之规矩精意者也。架子为最要之基础，久久练之，身体方能重如泰山，轻如鸿毛。若不练架子①，虽多推手，身体仍有不稳之时，易为人所牵动。

注释

①若不练架子：杨氏太极拳老拳谱三十二目之“八五十三势长拳解”云：“万不得有一定之架子，恐日久入于滑拳也，又恐入于硬拳也，决不可失其绵软。周身往复，精神意气之本，用久自然贯通，无往不至，何坚不摧也。”倘若不学拳架，只是一味地单练或推手，就可能走向两个极端，其一，时间一长，就会变得油滑，而失去刀掌剑指般锐不可当之势；其二，长期的对抗性训练，就会形成硬冲硬撞，颟顸相扑的硬拳，失其绵软。

二水按：拳架，像是一个资源丰富的矿藏，从来没有一位拳家，能穷其一生，竭尽其所藏的。而推手喂劲，就算是冶炼或制成品，外表光鲜亮丽，倘若失去了开采的基础，就会或硬或滑，偏执一端。

问：有人言练太极拳，仍须用力者，然否?

答：《太极拳论》云："极柔软，然后极坚刚"[①]，太极拳之坚刚内劲，系由柔软松开而生。练架子愈柔软松开，则长内劲愈速。稍有强硬不松之处，即为长内劲之阻碍。盖松开，则两臂容易沉重，不松开，则两臂仍是轻浮。是为明证。余所著《太极拳术》内，已论之详矣。凡持此说者，大抵天生有点力量，喜恃其力。或习过硬拳，不肯舍弃。故尚不能坚信"极柔软，然后极坚刚"之说，虽练太极，终不能得太极最精妙之意也。

注释

①极柔软，然后极坚刚：语出"十三势行功心解"，非王宗岳《太极拳论》语。从武禹襄"解曰"之"极柔软，然后能极坚刚"化出。

二水按：太极拳"柔软"与"坚刚"之理，在杨氏老拳谱三十二目之"太极下乘武事解"更有详尽的阐述："太极之武事，外操柔软，内含坚刚，而求柔软。柔软之于外，久而久之，自得内之坚刚。非有心之坚刚，实有心之柔软也。所难者，内要含蓄，坚刚而不施，外终柔软而迎敌，以柔软而应坚刚，使坚刚尽化无有矣。其功何以得乎。要非粘黏连随已成，自得运动知觉，方为懂劲，而后神而明之，化境极矣。夫四两拨千斤之妙，功不及化境，将何以能是。所谓懂粘运，得其视听轻灵之巧耳。"

问：教者用同一教授之法，而学者之姿势，有好有丑，其故何也?

答：其丑者，必生硬而有力者也。其好者，必柔软而不用力者也。譬如范金[①]者，必以热度使之镕[②]化，方能随心所欲，或使之方，或使之圆，均可如意。若以生硬之金铁，欲硬打成或方或圆之器物，则恐用力甚苦，而见功甚迟。故教拳者，既令学者，用极大之力，使全身生硬而不易于转动，而又欲其姿势之佳善，是欲前而却行也。[2]人之天生气力，譬如生铁，必须使之柔软，久久锻练[3]，变为精钢，看似柔软，坚刚无比，是为太极拳之内劲。

注释

① 范金：用模子来浇铸金属制品。

② 镕：销熔，熔化。

若以生硬之金铁……是欲前而却行也：倘若用生硬的铜铁材料，不经过高温熔化锻炼，就直接想硬生生地打制成或方或圆的器皿，那么恐怕会是投入非常辛苦，而收效甚微。因此，教拳的人，一方面想让初学者用尽最大力气，让他们全身僵硬，运转不便，另一方面，又想让他们做到姿势柔和曼妙，那么只是有想让进步的美好愿望，而实际只是在阻挡他提高之阶梯。

③ 锻练：盖“锻炼”之误。锻练，有“罗织罪名”之意。锻炼，锻造、冶炼之意，引申喻作通过训练或运动，增强体质。

问：练太极拳时之头部应如何?

答：头容正直[1]，不可低而下视。头低，则精神提不起。

注释

① 头容正直：头的姿势要正直。不倾顾，不低回。

二水按：头容正直，便能提起精神，《十三势行功歌》云：“尾闾正中神贯顶，满身轻利顶头悬”，太极拳身形上的“顶头悬”要领，能够帮助拳学者达成“神贯顶”的内在要求，也仿佛京剧武生戎装颈项后的几面靠旗，就能让人有正气凛然之感。《朱子语类》有云："不独头容要直，心亦要直，自此便无邪心"，便是这层意思。

问：练太极拳时之眼光如何?

答：眼者，神之舍也。[①]眼光有时随手而行，眼随手，则腰自转动；有时须向前看，所谓左顾右盼中定是也。左顾右盼，则腰转可化人之劲。前看则中定，将人放出。久练太极拳，则眼光奕奕有神。神光足者，其功夫必深无疑。

注 释

①眼者，神之舍也：杨氏太极拳老拳谱三十二目之"人身太极解"云："神出于心，目眼为心之苗。"《黄帝内经·素问·六节藏象论》曰："心者，生之本，神之处。"中医舌诊，以舌为心苗。方以智《东西均》云："气贯虚而为心，心吐气而为言，言为心苗，托于文字。"目眼为心之苗，虽与《孟子·离娄上》："胸中正，则眸子瞭焉，胸中不正，则眸子眊焉"义同，但更接近达芬奇"眼睛是心灵的窗户"之说。久练太极拳，头容要直，心亦要直，心胸中正，眼光自然奕奕有神了。

问：练太极拳时，口宜闭宜开?

答：《参同契》云："耳目口三宝，闭塞勿发通"[①]。太极拳，本为动中求静，辅佐静功之法。若张口，则呼吸由口，舌燥喉干。闭口，舌抵上齶[②]，则自生津液，随时吞咽。是华池之水，为养生之甘露。凡言宜开口者，则太极拳之好处，完全失之矣。

注释

① 耳目口三宝，闭塞勿发通：《周易参同契·关键三宝章》第二十二云："耳目口三宝，闭塞勿发通。"意为耳目口是修炼关键的三宝，五音乱耳，能令耳失聪；五色乱目，能令目失明；五味浊口，能令口味败。所以修炼之人，应闭塞三宝，令耳不外听，目不外视，口闭不开。

二水按：耳不外听，目不外视，在行拳走架，或推手喂劲的训练中，可以有"内视反听"之意，眼睛似闭非闭，视线似往眼底收敛，之后余光似能从两耳尖往前，兼顾左右。耳朵仿佛是两只卫星信号的接收器。

任督二脉，上交会于口腔，下交会于会阴。舌尖轻抵上腭，谷道微敛，鹊桥相连，阴阳交泰，津液自生，此为"金津玉液"。舌抵上腭，要轻，如开关，两端轻轻一碰，电流就能贯通。津液下咽，舌尖自然呈抵腭态。津液内含消化酶、溶菌酶，有助消化，宜分口咽下。否则，"鼎内若无真种子，犹将水火煮空铛"，口干舌燥，有害身心。

② 齶：齿内上下肉也，同"腭"。

问：练太极拳时之腰，应如何松？

答曰：松者，非硬往下压之意也。硬压，则不易转动。松则转动可如意[①]。《太极拳论》云："腰如车轮"，此言其活。又曰："腰如纛"，此言其正直。腰不下松，不正直，则臀高耸，不但甚不雅观，而且尾闾必不能中正，神必不能贯顶，力必不能由背脊而发。

注释

① 松则转动可如意：松腰的目的，是可以随心所欲地转动。

二水按：松腰的目的，是腰轴可以像门轴一样自由转动，而门框不变形。门轴可以左右变化。左向运动时，以左边门轴来转动；右向运动时，以右边门轴来转动；前后运动时，则以腰轴带动下，门与门框一齐运动，在进退时门轴依然能开合自如。

老拳谱常常腰胯不分，以“腰隙”“腰间”或“腰膝”通概之。腰不宜前俯后仰地摇动，臀部不能左右扭摆，水蛇腰，中轴易弯，脚也不得灵便；扭臀腰背辄宜为人制。松腰后，方能落胯。腰宜松塌，胯便找着了原先固有的位置。胯一旦找到自己的位置，盆骨就能摆正，命门就略微外凸，脊背“上下如一线串起”。立身如置高凳状，两脚方能灵便，活如车轮。

腰胯分离后，身躯如磨盘呈上下两盘，“磨转心不转”，讲的是上半身转腰时，胯部依然如坐高凳之上，不能扭动臀部，所谓上盘转动，下盘相对不动；另外，上盘转动时，其实也不是腰在转动，而是身躯内的“轴线”带着腰在转动。而这里的轴线，就像是铰链中的轴线，铰链的开合，轴线是不随之而动的。

问：练太极拳用掌时之手指如何?

答：手指亦宜舒展自然，不可拳屈；又不可太张开，使之硬直。拳屈，则气贯不到指尖；硬直，则气亦不到。两掌按出时，不可太过膝，过膝则失其重心。尝见练太极拳者，两掌按出过度，全身倾出，臀后高耸，此式由于脚步太小，腰不能下之故。足不到，而手往前探，不但打人不出，则已身前倾，恐立不稳。打人必须进足贴身，则两手随腰略进，[①] 人已跌出。此乃全身之劲也。

注 释

① 进足贴身，则两手随腰略进：用掌时，四指并拢，指节一一舒展，

掌根略微前腆，虎口略撑圆。进步时，意念上须有以己身之膝胯，能触及对手之膝内侧之意，两肘内敛，两掌心也须有涵空包容一切的意思，随身躯前行而“略进”之，对手不由自主地碰及即会跌出。

问：太极拳之蹬脚、分脚亦用力否?

答：太极之腿[1]，乃松弹之劲，非生硬之劲也。

注释

① 太极之腿：慰苍先生《雪涔庱太极传心录》札记中云：“传统杨式太极拳腿法九脚，从拳的架势来分：左右分脚，左右蹬脚，左右踢脚，二起脚，单、双摆莲脚。以使用法而论，则分为：踢脚、翅（分）脚、蹬脚、（二）起脚、（单双）摆（莲）脚、接脚、套脚、衬脚、踩脚。翅脚即刺脚，踩脚即踹脚”。

问：练太极时之神气态度[1]应如何?

答：总以神凝气静、中正安舒、从容大雅、绵绵不断为准则。看似轻灵，而又极沉重；看似动宕，而又极安静。凡太轻浮流动，或过于剑拔弩张之态，皆未得其精意者也。

注释

① 神气态度：“精气神”是传统文化的人格结构。这一人格结构展现于人身周遭的，便是人的神气态度。

二水按：精，属阳；气，属阴，而统帅精、气的“神”，也分阴阳。属阳的神，是意气奋发的。若见高人，随意站定，他的意气便张扬四周，似乎周身皆属他的领地，所谓“气压天风吞海雨”，使得旁人无法近身，这便是属阳的神。武禹襄“四字不传秘诀”之“敷、盖、对、吞”，得神之阳。属阴的神，是内敛入骨的，是神情内敛、眼神内聚的神。见高人行功走架，所谓“若轩辕古圣，端冕垂裳；如昆刀刻玉，但见浑美”，所谓“端凝拙朴的古佛之容，敧正收放的自然之态”，指的便是这种属阴的神。李亦畬“撒放秘诀”中的“灵、敛、静、整”，得神之阴。

问：太极拳七十余式之次序，必须如此，而亦能变动否?

答：相传之次序如此，其相连接之处，亦极自然，故学者当谨守之。譬如一篇好文字，增一字减一字不可。虽然，文字本有无穷之变化，太极拳亦然。若将各式颠倒，其连接之处，果能自然，又何尝不可耶。太极拳架子，本是平时练功夫之体，若用时，则又何能刻舟求剑，而必依其次序耶。[1] 若然，则真愚之至矣。

注释

① 太极拳架子……必依其次序耶：就传统哲学观念“体”与“用”而论，太极拳的拳架，本来就是用来增长功夫的“体”，如果一旦“用”于推手或实战，那么就不能按照拳架编排的次序一招一式地来照搬照抄了，就像不能刻舟求剑一样。

问：君所著之《太极拳术》，当可作为准则?

答：何敢云然[1]。不过余从杨澄甫先生学太极拳时，对于架子之姿势，颇十分注意。著此书时，每式必问过五六次，方敢下笔。澄甫先生亦教诲不倦，此书不过代澄甫先生笔述之耳[②]。

注 释

① 何敢云然：谦词。不敢如此说；怎么敢这样讲啊！

② 不过代澄甫先生笔述之耳：《太极拳术》孙绍濂之序言说微明先生“以杨先生口授之太极拳，笔述成书，多所阐发，稿赠杨先生以酬答之。杨先生藏之数年，不以付校梓。余与秦君光昭、王君鼎元、岑君希天闻之，请先生怂恿出之，以传于世。先生书往，杨先生欣然寄稿，并图五十余幅。”

问：杨澄甫先生现在所练之架子，与君所作之书，又略有不同者何耶?

答：澄甫先生现在所练之架子[①]，惟第二次琵琶式后，又添一搂膝拗步。白蛇吐信之后，又将身体屈回，如撇身锤[②]后之搬拦锤一样，此则无甚大关系者也。盖若遇地方宽阔之处，左右搂膝拗步，本可多打数次，不但左搂膝可加，右搂膝亦可加。琵琶式变搬拦锤，与拗步变搬拦锤，均无不可。至于白蛇吐信之后，澄甫先生教余之时，本未回身，若敌拳来击，吾以左手接其肘，以右拳击其肋下，故稍坐腰即将拳打出，更为简便。两次撇身锤后，及弯弓射虎后，均系回身，盖已有三次矣。

注释

① 澄甫先生现在所练之架子：杨澄甫先生，在北京期间与南下上海、杭州期间，拳架也多有变化。

二水按：许霭厚编著的《太极拳势图解》，书中采用的拳势绘图与陈微明先生《太极拳术》中杨澄甫老师所赠的中年拳架，一一对照，结果显而易见：许霭厚为北京体育研究社编著的这本太极拳推广教材，最终是以杨澄甫老师的中年拳势作为推广范例的。从许霭厚《太极拳势图解》入手，可以还原杨澄甫老师在北京时期的拳架。而杨澄甫《太极拳使用法》或《太极拳体用全书》，则是杨澄甫老师南下上海、杭州后的拳架，可以作为杨澄甫老师晚年定式架的典范。所以，对照阅读《太极拳势图解》《太极拳术》《太极拳使用法》或《太极拳体用全书》，就能清晰地看到杨澄甫老师的拳架变化轨迹，这对深入研究拳理拳史，颇有裨益。

不管是大架、中架还是小架，也不管是新架、老架、还是其他架子，拳架，只是指月之手。《楞严经》云："如人以手，指月示人。彼人因指，当应看月。若复观指以为月体，此人岂唯亡失月轮，亦亡其指。"每一位太极拳习练者，在天心月圆之前，或许心存阴霾，须得明师指月相示。无论指月之手，是大拇指还是食指中间，还是无名指小指，我们不能死盯着手指，而错失皓月当空。"每年练一万遍拳，二十年不懈"云云，在二水看来，倘若心无昭朗，亦徒亡失月轮之举。

② 锤：用锤敲打之意，太极拳在搬拦捶、撇身捶、肘底捶等经典式势中，借以喻说握拳时的拳势变化。诸家拳谱中，或作"锤""棰""槌"等，今多以"捶"为惯用。后同，不另注。

问：君所增加之长拳，又将反面之式加入何耶?

答：若讲练功夫，练太极拳已足，长拳本可不练。余因人身之运动，似宜左右平均发育，故将反式加入。诸君以此长拳作体育运动之法观之，可也。[1]

注 释

① 诸君……可也：各位把我编的加了左右式的长拳，只当作是训练人体左右均衡发育的一项体育运动来看待，这就足够了。

问：太极拳架子如搂膝拗步，必将手往后转一大圈，然后向前打出，如此迂缓，何能应敌?

答：太极拳之各式，均系圆圈，盖求其松开圆满，全身转动，此所以练，体也。若求其用，岂能拘定形式。[1] 譬如三百六十一度之浑圆体，用时，仅用一度或半度，均无不可。而练体，则不可。不求其圆满，若应敌时，亦照练体之迂缓，此真笨伯之流[2]矣。

注 释

① 太极拳之各式……岂能拘定形式：太极拳的每一招式，运动轨迹都是圆弧形的，究其原因是，这样训练的目的，是为了追求肢体每一关节的节节对拉拔长，肌肉肌腱得以舒展，机体内在的组织乃至每一毛孔都得以扩张，脏腑器官所产生的营卫之气，就能由里达外，乃至弥漫在身躯周边，这样，全身转作裕如，进退得便，人的身躯与周遭空间，就会组成一个有形无形相间的阴阳球体，像是一只充满气体的球，腾腾然在其间，能屈能展，随感斯应。这是一种训练体系。就传者哲学的“体用”而言，这是“体”。倘若就“用”而言，就不能拘于一招一式，圆来弧去地固定式势了。

② 笨伯之流：原意指身体肥大、行动不灵巧的人，此泛指愚笨者。

问：老辈练拳之意思[①]，虽不能见，亦有所闻否?

答：闻杨少侯先生说，露禅老先生，练单鞭下势时，以制钱一枚，置于地上，可以用口衔起。又可以以肩靠人之膝，其腰之下如是。班侯先生练拳之时，或面现喜色而冷笑，或忽作怒容而发喊，是所谓带喜怒者也。此则功夫深到，而自然显之于外者，非勉强而可学者也。

注释

① 老辈练拳之意思：老一辈拳家练拳、推手时的情形与神态。

太极拳之推手

问：初学推手，可用力否?

答：不可用力。《打手歌》云：“掤攌挤按须认真”，掤攌挤按四字，要分清楚。挤、按，坐前腿，掤、攌，坐后腿，先照规矩[①]，每日打数百手，或数千手，则自然两腿有根，腰极灵活。一年之后，再彼此找劲。（找劲者，彼此不照规矩，随意攻击化解。）找劲不可太早，太早则喜用力，成为习惯。不能得精巧之意。

注释

① 先照规矩：规矩者，校正圆形和方形的两种工具也。规所以正圆，矩所以正方。

二水按：杨氏太极拳老拳论三十二目之“太极正功解”云：“圆之出入，方之进退，随方就圆之往来也。方为开展，圆为紧凑，方圆规矩之至，其就能出此以外哉。”太极拳方圆相济，奇正相生之理，多在四正、四隅规矩手中悟得。叶大密先生《柔克斋太极传心录》有云：“练架子须先求其方，后求其圆；推手须先求其圆，后求其方。从此去做，始能事半功倍。”行拳走架，先求其方，旨在构建身躯间架，掌握间架运动过程中的法则。两人推手，先求其圆，意在力戒顶匾丢抗，在粘黏连随中知觉运动。日久，方极而圆，圆极而方，方圆循环，始得阴阳变化之理。

问：掤履挤按四字，能包涵无穷之变化耶？

答：此四字内含之意思无穷。即如一按字，有轻灵而进者，有重实而进者，有左重右虚而进者，有左虚右重而进者，有两手开之意而进者，有两手合之意而进者。① 如一挤字，有正挤者，有偏挤者，有加肘挤者，有换手挤者，而用臂之各点，又时时变换，如此，点之中心已过，即改用彼点，节节是曲线，节节是直线，处处是黏劲，处处是放劲，所谓曲中求直者是也。又有折叠而挤者，或翻上折叠，或翻下折叠，均随敌人之意而变换之。② 如一掤字，或直掤，或横掤，或在上掤，或在下掤。粘住敌人之臂或手，随时变换方向。总之，不要敌人在我臂上或身上得有一目的，而可以放劲。若敌人将得有目的，即立时改变其方向，惟须粘住，不可丢离。若敌人丢离，速速打去。所谓逢丢必打是也。③ 如一履子。有向上履者，有向下履者，有平履者。履之中有撅，有机会则用，若用劲整快，则手臂或断矣。④

注释

① 即如一按字……有两手合之意而进者：拿一“按”字来说，按劲就是将对手当作球体，将其气充足，富有弹性，然后像拍球一样，将其一拍而起的劲。但运用时，各有变化。有些按劲，让人感觉是轻快灵巧，飘逸而入，被按者如球腾起，了无知觉。有些按劲，让人感觉深沉浑厚，有摧枯拉朽之势，无可阻挡。有些按劲，或左虚右重，或右虚左重，触碰之处，让人

无所适从，稍加阻拦，便如球掷壁。从外形上而言，有些按劲，两手有开展包容之意，让人无所遁形；有些按劲，两手有敛合收束之意，让人避之不及。

② 如一挤字……均随敌人之意而变换之：拿一“挤”字来说，别人触碰我时，我将自己当作是一个球体，借用别人作用于我的力，来充足自己球体的气，然后，逆着对手的劲力方向，我顺势挤压自己身体这个球体，球体受挤，张力增大；以球体受挤后的张力，作用于人。类似于挤公交车，触碰旁人时，触碰处须有收敛之意，唯恐碰伤旁人。对手被挤腾起时，挤劲者似还一脸无辜相。挤劲在运用中，千变万化，后手敷于前手掌或前小臂内侧，后手打前手，而前手不能显形。这种挤劲，可以是正方向挤的，也可以是斜偏方向挤的。还有是将后手敷在另一手肘部，将肘作为铺垫，两手合力而挤的。还有左右手互换方向，互作铺垫挤来的。加垫肘挤，是较为常用的挤劲，大攦中，对手採挒我腕臂时，我即用另一只手掌敷于被採挒之手的肘部，掌跟前腆敷贴肘弯处，肘部收束内敛，中轴朝着对手中轴方向略微有逼靠之意，这样，对手採挒我的腕臂触碰处，便成了我加肘挤劲的作用点。这种挤劲，因为对手採挒我腕臂的触碰处，在时时变化着，所以挤劲奏效的关键之处，就在于该式势中，我的中轴是否瞄准了对手的中轴线。一旦发现原本瞄准的中心点已过，就得稍稍改变一个角度，重新瞄准。我的手臂节节是曲线，我的中轴瞄准对手中轴的劲力方向线，却节节是直线，对手触碰着我的腕臂处，处处得有黏劲，而我瞄准对手中轴线的十字准星线，处处是放劲，这就是老拳论所讲“曲中求直”的道理。另外，挤劲还可以神态上略微的左右顾盼，劲路就会有往返折叠的效果，这样的挤劲，可以翻上而挤下，也可以翻下而挤上，一切都不是自作主张，而是根据对手的劲力变化，而顺人之势，顺势而为的。

③ 如一掤字……所谓逢丢必打是也：拿一“掤”劲来说，对手触碰我时，我随即将自己身体与周遭的空间，形成一个有形无形的“阴阳球体”，以这个球体的圆弧面与充盈的气感，去应对对手的劲力。就身形姿态而论，可以是直掤，也可以是横掤；就作用力的方向而论，可以是上掤，也可以是

下掤。其实，一切都是依靠粘住敌人的臂或手，随时来变换方向的。总之，对手触碰在我身上、腕臂时，我须得将球的气充盈，尽量让对手感觉像是触碰到了圆弧面，无从入手，这样，对手触碰在你身上，就无所适从，无能为力。倘若感觉到对手在触碰你时，他将有所企图，我就得在粘住对手劲力的前提下，略微改变圆弧面的方向，不可丢开对手。倘若一旦发现对手有脱手离开触碰处的意识，我就得有急速向他要害处击去的意思，这种攻防意识，经过训练，就会变成太极拳中的"意念"，这也是其他武术形式中所讲的"逢丢必打"的原则。但太极拳，其实仅仅是"打"的意识而已，无须像是散打格斗一般的满脸开了个酱油铺。

④ 如一攦子……则手臂或断矣：子，盖"字"之误。拿一攦字来说，攦是以己身的"阴阳球体"后侧、左右转动，上下翻转，来走化对手劲力的劲。是在掤劲的基础上，加以运化，可以向上攦，也可以向下攦，可以左右方向的平攦。攦劲之中最为奇妙的，是在攦的过程中，稍稍改变接触点的角度，或通过与另一只手的配合，就可以巧妙地拿住对手触碰到我身上手臂、手腕或手指，通过拿住对手的某一点，进而拿住对手全身的劲力来脉。这与单纯依靠速度力量来制约对手关节的擒拿技法，判若云泥。当然在使用攦劲时，倘若觉得有机会或有必要，也可以用整劲且加以速度，那么对方的手臂也可能就保不住了。

问：不动步推手与动步推手孰要?

答：不动步推手，所以练腰。腰若灵活，化人之劲而有余，则可不用步。动步推手，兼练腰步[①]。若敌人敏捷，则不得不运用步法，与之周旋。既有腰，而步法又活，则变动方向更速，得机得势，游刃有余。

注释

①兼练腰步：动步推手时，一方面需要训练腰轴的运化，另一方面还需要训练脚步与身体的协同变化。杨式特有的大擺推手，结合四隅手法与四隅步法，进步直行以站位，退步斜行以研圜，更是将手眼身法步在攻防体系中的协同作用发挥到了极致。

问：大擺之用如何?

答：大擺是走四隅：採挒肘靠①。採是採住敌人之手，使之不易变动。挒，是用掌挒之，使敌人欲放劲之时而中断。肘，是用肘。靠，是用肩。大擺之步法，更大而速，非两腿有劲，不能轻灵变化。

注释

①採挒肘靠：杨式特有的大擺推手，两人配合步法，进步肘靠，直行以站位，退步採挒，斜行以研圜，互作採挒对待肘靠，以肘靠对待採挒的训练。

二水按：大擺推手的训练法：对手退步採我手腕、挒我手臂时，我直步逼进站位于对手两脚间，被採挒之手曲张成圆弧，顺对手採挒之势而作肘击之意；同时，另一手敷于被採挒之手的肘部，作“加肘挤者”，其时，我的中轴已经朝着对手中轴方向略微有逼靠之意。对手随即起身，放弃採挒。我则撤步站立，乘对手放弃採挒，旧力略过，新力未生之机，斜向退步，以採挒对手之手腕手臂，对手则进步以肘靠对待之。如此循环往复。

问：除掤攦挤按採挒肘靠八法之外，尚有他法否?

答：闻尚有抓筋按脉、闭穴截膜、擒拿蹦放、抖擞切错诸法。[①] 余不过略闻其名，尚未知其用也。

注释

① 抓筋按脉……诸法：杨式太极拳老拳谱三十二目之“太极膜脉筋穴解”“太极节拿抓闭尺寸分毫解”都载有“节膜、拿脉、抓筋、闭穴”四功，“膜若节之，血不周流。脉若拿之，气难行走。筋若抓之，身无主地。穴若闭之，神昏气暗。抓膜节之半死，申脉拿之似亡，单筋抓之劲断，死穴闭之无生”。微明先生所言“余不过略闻其名，尚未知其用也”一节，也能佐证三十二目此四功“如能节拿抓闭之功，非得点传不可”“此四者虽有高授，然非自已功夫久者，无能贯通焉”，实非欺人语，诚曲高和寡之境也。

问：推手全不用力，若敌力太大，直逼吾身，将奈之何?

答：推手虽不用力，然练之数年，自然生一种掤劲。此种掤劲，并非有意用力，而敌人之力，自能掤住，不能近身。初学者松开练习数年，使全身毫无僵硬之处，亦可练习掤劲推手。虽用掤劲，须随腰转，俗亦谓之“老牛劲[①]”。

注释

① 老牛劲：通过间架训练，身形节节对拉拔长之后，浑身有内气充盈的感觉，每一关节处能断能连，对手一旦有大力作用于我，我的间架随之在对手触碰点上作出圆弧形的张力反应，被接触点或受对手劲力挤兑，却能将

对手挤兑之劲力，通过节节贯穿，作用于对手其他触碰点上，对手感觉我浑身犹如藤条，或老牛筋一样的难缠，俗称“老牛劲”。

问：太极拳推手之意以何为宗？

答：自以王宗岳先生《太极拳论》为宗[①]。若违乎《太极拳论》之意者，则敢断言其错误。

注释

① 宗：宗者，尊祭之神，或人物所归往也称为宗。引申为奉作经典的宗旨。《吕氏春秋》云：“以天为法，以德为行，以道为宗。”

二水按：就后世划分的所谓“陈、杨、武、吴、孙”五式太极拳而言，除了陈式太极拳之外，其他各派都是将王宗岳《太极拳论》奉作圭臬，杨式太极拳甚至将王宗岳的《太极拳论》改作《太极拳经》，作为行拳走架、推手喂劲时的行为模式、价值标准以及思维模式。

问：《太极拳论》之外，尚有发挥精意者否？

答：有李亦畬先生之《五字诀》，发挥拳论之意，亦甚扼要。兹录其诀如下：

一曰心静：心不静，则不专一。一举手，前后左右，全无定向[①]。起初举动，未能由己[②]，要悉心[③]体认，随人所动，随屈就伸，不丢不顶，勿自伸缩。彼有力，我亦有力，我力在先；彼无力，我亦有力，[④]我意仍在先（按：此数语，略有语病。应云：无论彼有力无力，我之意总在彼先）。要刻刻留心，挨何处，心要用在何处，须向不丢不顶中讨消息。从此做去，一年半载，便能施于身。此全是用意，不是用劲，久之，则人为我制，我不为人制矣。④

注 释

① 全无定向：此句后，李亦畬抄赠郝和珍藏的《五字诀》（以下简称李抄本）中，有“故要心静”句，微明先生抄录时，此处疑有脱文。

② 己：原文误作“已”。

③ 悉心：尽心以对。李抄本作“息心”。息心，来自梵语沙门的意译，息意去欲，勤修善法之意。

④ 彼无力，我亦有力：李抄本作“彼无力，我亦无力”。

二水按：微明先生所据之文本，或有讹误，以至微明先生怀疑此节文辞，有语病。为此在句末括号中，加以按语，予以修正云：“此数语，略有语病。应云：无论彼有力无力，我之意总在彼先”。

二水以为，李亦畬先生所谈论的“彼有力，我亦有力”，这力并非顶抗之蛮力，而是微明先生前述之“然练之数年，自然生一种掤劲”，“此种掤劲，并非有意用力，而敌人之力，自能掤住，不能近身”，此谓之“不顶”。李亦畬先生“彼无力，我亦无力”，也非全然地松懈，而须有用心之处，且在用心之处去“凝神听细雨”，此谓之“不丢”。所以，无论是“我力在先”或“我意仍在先”，李亦畬先生强调的是“要刻刻留心，挨何处，心要用在何处，须向不丢不顶中讨消息”，此番“挨何处，心要用在何处”的“讨消息”，微明先生的“悉心”两字，尽心以对，尚且不足以论，唯有如沙门“息意去欲”，方足以“息心”体认之。“息心”之“息”，乃此节“心静”的根本所在。

⑤ 则人为我制，我不为人制矣：《管子》卷第四云：“凡国有三制：有制人者，有为人之所制者，有不能制人，人亦不能制者。”《孙子兵法·虚实篇》云：“善战者，致人而不致于人。”

二曰身灵：身滞，则进退不能自如，故要身灵。举手不可有呆像，彼之力方碍我皮毛，我之意已入彼骨里。两手支撑，一气贯穿，左重则左虚，而右已去；右重则右虚，而左已去。气如车轮，周身俱要相随。有不相随处，身便散乱，便不得力。其病于腰腿求之。先以心使身，从人不从己[①]，后身能从心，由己仍从人。由己则滞，从人则活。能从人，手上便有分寸，秤彼劲之大小，分厘不错；权彼来之长短，毫发无差。[②] 前进后退，处处恰合，工弥久而技弥精。

三曰气敛：气势散漫，便无含蓄，身易散乱。务使气敛入骨，呼吸通灵，周身罔间[③]。吸为合，为蓄；呼为开，为发（按：先天之呼吸之体，吸开呼合；后天呼吸之用，吸合呼开。[④]）盖吸，则自然提得起，亦拏[⑤]得人起；呼，则自然沉得下，亦放得人出。此是以意运气，非以力运气也。

注释

① 己：原文误作“已”。后同，不另注。

② 秤彼劲之大小……毫发无差：秤，李抄本误作“枰”，微明先生改正之。劲，李抄本作“劤”，劤，多力也。同劲。权，衡器。称重量的器具，如秤、天平等。《孟子·梁惠王上》云：“权，然后知轻重。度，然后知长短。”来，劲力的来龙去脉。

二水按：亦畬先生文风率性，对于劲力的长短、大小、重轻，一一皆只用秤与权。此节阐述与人手谈时，舍己从人后，对于对手劲力轻重、大小、长短的细微感知。而这一切，都是建立在“身能从心”“从人不从己”的前提之下。

③ 罔间：无间也。武禹襄以“行气如九曲珠，无微不到”来解释“气

遍身躯不稍痴”，李亦畬先生则以“气敛入脊骨，呼吸通灵，周身罔间”来进一步解释气遍身躯，无微不到，强调呼吸开合之要。

④ 先天之呼吸之体……吸合呼开：微明先生按语“先天之呼吸之体，吸开呼合；后天呼吸之用，吸合呼开”，从先天为“体”，后天为“用”角度来分析李亦畬先生的“吸为合，为蓄；呼为开，为发”，不足以阐述太极拳以意运气的“吸提呼放”法则。

二水按：市井的太极拳界对于呼吸的理解，或往往只是侧重口鼻之间的吐纳，或动辄滥觞于仙道之流的胎息龟功，而于拳技本身了无补益。杨家拳学者于呼吸与灵活之间的关联性，其实与李亦畬“五字诀”中“呼吸通灵，周身罔间……盖吸，则自然提得起，亦拿得人起；呼，则自然沉得下，亦放得人出”有异曲同工之妙。家师慰苍先生曾云：“将‘能粘依，然后能灵活’改作‘能呼吸，然后能灵活’，表明了修改者对于太极拳实际功夫的体验，比原作者更加深入了一层。因为，即使是在一般的推手时，仅仅只在外形肢体上能够跟随上对方，还是不够的，必须在外形肢体上能够跟随上的同时，还要在内在呼吸上也能跟得上对方的呼吸，那才真正是全面的所谓‘完整一气’，才真正是里里外外的所谓‘合住对方’，然后才能既轻松而又干脆地把对方发放出去，更何况，进一步要把它运用到太极散手和太极器械方面去了。”二水将太极拳理解为“一门调控身心的艺术”，粘依之间，一敷一盖、一对一吞，通过吸提呼放，掌控自身的拍位，合住对手的节拍，进而去影响或改变对手的节拍，俞虚江《剑经》总诀“知拍任君斗”，讲的就是这层道理。

⑤ 拏：同“拿”，强调能“牵引”之意，与后文“撒放密诀”中的“擎开彼身借彼力”“引到身前劲始蓄”的“擎、引”意同，也是武禹襄所说的“蓄劲如张弓”者也。

四曰劲整：一身之劲，练成一家，分清虚实。发劲要有根源，劲起于脚根，主宰于腰[1]，形于手指，发于脊背。又要提起全副精神，于彼劲将出未发之际，我劲已接入彼劲，恰好不后不先，如皮燃火，如泉涌出，[2] 前进后退，无丝毫散乱，曲中求直，蓄而后发，方能随手奏效。此谓借力打人，四两拨千斤也。

注释

① 主宰于腰：李抄本作“主于腰间”。武禹襄“打手要言”又曰中系作“主宰于腰”，杨家拳学者，在武禹襄文辞基础上窜益成的《太极拳论》，此节文字作：“其根在脚，发于腿，主宰于腰，形于手指，由脚而腿而腰，总须完整一气，向前后退，乃得机得势”。

② 如皮燃火，如泉涌出：《苌氏武技书》讲点气有云：“如梦里着惊，如悟道忽醒，如皮肤无意燃火星……”惊梦、悟道、皮燃、火动、泉涌等譬喻，旨在“提起全副精神”，在“彼劲将出未发之际”，用腰脚来认准“端的”，把握动静机势，其时的发劲，其实不是“发”，而是“放”，此武禹襄所谓“发劲如放箭”者也。

五曰神聚：上四者俱备，总归神聚。神聚，则一气鼓铸[1]，练[2]气归神，气势腾挪，精神贯注，开合有数[3]，虚实清楚。左虚则右实，右虚则左实[4]（按：此系指自身之虚实而言）。虚非全然无力[5]（按：此力字改作意字佳），气势要有腾挪；实非全然占煞，精神要贵贯注。力从人借[6]，气由脊发[7]。胡能气由脊发？气向下沉，由两肩收入脊骨，注于腰间，此气之由上而下也，谓之合。由腰形于脊骨，布于两膊，施于手指，此气之由下而上也，谓之开。合便是收，开便是放。[⑧] 能懂得开合，便知阴阳。

注释

① 鼓铸：冶炼时，扇炽其火，谓之鼓铸。

② 练：李抄本作“炼”。炼，冶金也。

③ 开合有数：李抄本作“开合有致”。开合有致强调的是呼吸开合之间的节拍、韵味与情趣；更合吸提呼放所倡导的“知拍任君斗”之旨意。

④ 左虚则右实，右虚则左实：李亦畬在王宗岳“左重则左虚，右重则右杳”的基础上，释解为“左虚则右实，右虚则左实”，诚如微明先生此句末括号内的按语所言“此系指自身之虚实而言”，意在以虚实开合来力戒阴阳未辨之病。而王宗岳的“左重则左虚，右重则右杳”，则是指面对对手的劲力而做出的反应。

⑤ 虚非全然无力：此句微明先生按语为“此力字改作意字佳”。微明先生认为，下文的“气势要有腾挪”，不应该是一种“力”，而是“意”，是“总包万虑谓之心”，久积而成为某种情绪，欲言又止，欲动而未动，却能显见于外的一种志向。太极拳的所谓“用意”，所谓“意念”，都应该是指此类腾挪之气势。

⑥ 力从人借：此句之前，李抄本尚有“紧要：全在胸中、腰间运化，不在外面”句，微明先生所据之文本，或有脱文。

⑦ 气由脊发：此句之后，李抄本尚有“胡能气由脊发”句。

⑧ 气向下沉……开便是放：当与上文“气敛”中以意运气法的“吸提呼放”合参，方能识得内种秘要：

与人接劲，将对手劲力，当作是自身的“气”，通过“吸”，腰背后靠，肩胯里根往内抽劲，胸腹往腰背紧贴，对手劲力便能被擎引、牵动，此时肩背松开，“气”由两肩收入脊骨，再收腹敛臀，尾闾微微前敛，谷道上提，脐下丹田内如置一酒盅，须得摆正，命门上下、左右呈十字舒张，此“气”之由上而下的路径，此为吸、为合、为收、为含胸、为蓄劲。盖吸，则自然提得起，亦拿得人起，此之谓也。

接得对手劲力之后，“拿而后发”的拿，其实就是“挈得人起”的“挈”，牵动对手重心之后，命门原本舒张的十字，上下左右的一松开，原本收紧的两手、两腿，皆一一舒展开来，“气”随着手足四肢的舒展，由腰而形于脊骨，布于两膊，布于两腿，原本掏空的胸腹，随着“呼”气，身躯中轴整体如弹夹复原，平整前移，施于手指。此“气”之由下而上的路径，此为呼、为开、为放、为拔背、为发劲。盖呼，则自然沉得下，亦放得人出，此之谓也。

到此地位，工用一日，技精一日，渐至从心所欲，罔不如意矣。①

尚有“撒放密诀”四句：②

一曰擎：擎开彼身借彼力，中有灵字。

二曰引：引到身前劲始蓄，中有敛字。

三曰松：松开我劲勿使屈，中有静字。

四曰放：放时腰脚认端的，中有整字。

以上乃李亦畲先生所传，亦甚精要。

注 释

① 到此地位……罔不如意矣：懂得了“吸提呼放”之理，懂得开合，便知阴阳。每天下一份苦工，每天便会有拳艺的提升，如同到了王宗岳所说“阴阳相济，方为懂劲”之时，“懂劲后，愈练愈精，默识揣摩，渐至从心所欲”，能随心所欲，也就不会有不称心如意的事了。

② 尚有“撒放密诀”四句：对照五字诀：静、灵、敛、整、聚，“四者俱备，总归神聚”，神聚是心静、身灵、气敛、劲整之后的水到渠成，因此，“撒放密诀”中四字次序应调整为“松擎引放”，“松、擎、引”为

"吸提"，"放时腰脚认端的"则是呼放。

松开我劲勿使屈。 中有静字。

擎开彼身借彼力。 中有灵字。

引到身前劲始蓄。 中有敛字。

放时腰脚认端的。 中有整字。

问：二人比手之时，究以身壮力大为占便宜，然否？①

答：二人比手，亦犹用兵。多算胜少算，无算者，虽勇必败。比手，则意多者胜，无意者败。② 盖彼用之力，我知之甚悉。我用之意，虚实无定，奇正相生。一意方过，二意又发，二意方过，三意又发。老子所谓"一生二，二生三，三生万物"，变化无穷。③ 喜用力者，必为力所拘，④ 不能随时随处变化。用意者，屈伸自由，纵横莫测，机至发动，如电光之闪，炸弹之发，彼虽跌出，尚不知所以然，此意之胜于力无疑也。

注释

① 二人比手之时……然否：两人比试时，最后是身体强壮，力气大的一方占便宜，是这样的吗？

② 二人比手……无意者败：两人比试，就像是用兵作战，筹划周密的胜于筹划不周密，没有筹划的，所谓有勇无谋，即便勇猛强悍，也必败无疑。两人比试也是这样，善于用意念的，胜于不善于用意念的，只会颟顸用力，不知意念的，一定是必败无疑。

③ 盖彼用之力……变化无穷：原因是，对手所用之力，其力的来源，力的大小、虚实、真假，力的方向，力的作用点，我一接手之后，通过"知

觉运动”，都一一了然于心，非常清楚，在他力作用到我身上之前，我的力已经敷在他力之上，像是手套套着他；我的作用目标，已经接入到他的骨髓，瞄准了他中轴线任何一点上，我想怎么作用于他的意念，其实还没明确表态，处于虚实无定的状态中，根据对方的劲力变化，而互为奇正，一个意念无法奏效，第二个意念已经开始；第二个意念倘若不奏效，第三个意念又产生了。劲力产生，就像是打雷；意念的产生，其实是闪电。意念始终会在对手劲力变化之先，而干扰、作用于对手。老子所说“一生二，二生三，三生万物”，意念也是这样，变化无穷，变幻莫测。

④ 喜用力者，必为力所拘：喜欢用力的人，因为习惯于用力，所以一定会被用力的习惯所局限和束缚。孙禄堂《拳意述真》载郭云深论形意拳云：“练拳术不可固执不通。若专以求力，即被力拘；专以求气，即被气所拘；若专以求沉重，即为沉重所捆坠；若专以求轻浮，神气则被轻浮所散。所以然者，外之形式顺者，自有力；内里中和者，自生气；神意归于丹田者，身自然重如泰山；将神气合一，化成虚空者，自然身轻如羽。故此不可专求。虽然求之有所得焉，亦是有若无、实若虚，勿忘勿助，不勉而中，不思而得，从容中道而已。”至理之言。

问：推手听劲（知觉对方用力之方向、长短，谓之听劲①），只用两臂，他处亦须听劲否？

答：听劲功夫，先练习两臂，久而久之，全身皆须练习。听劲，粘在何处，其处皆有知觉，皆能懂劲。敌掌或拳，挨近吾身，皆能化去其力，使之落空，方能谓之真懂劲也。

注释

① 听劲：太极拳专用术语，文字出典盖始见于此。微明先生以括号形式，简要地为“听劲”下了一个定义：“知觉对方用力之方向、长短，谓之听劲”。

二水按：杨式老拳谱三十二目，引入戴东原的“知觉运动”理论，作为人认识世事万物的立论依据。人的认知过程，是一个不断由“精爽”进到“神明”的过程。“精爽”的过程，先自知，后知人，尺寸分毫，由尺及寸，由寸及分及毫，允文允武，允圣允神，当阶入“聪明睿圣”时，“心之精爽，有思则通……精爽有蔽隔而不能通之时，及其无蔽隔，无弗通，乃以神明称之”。所以，由“蔽隔”到“精爽”，由“精爽”，而阶及“神明”的过程中，“尺寸分毫”即是手段，也是精爽神明后的自然结果。行拳走架，不但要以心行气，以气运身，处处设假想敌，拳势的每一招式，方能有对待之意。另外，还要凝神敛气，悉心去知觉身形在周遭空气里的浮力。这是自知自觉的功夫。两人对待之时，觉知对手劲力的阴阳变化，自己劲力也随之以最为合适的阴阳之数，去对之，或待之，就像洛书里的正隅之合数，1与9对，3与7对，8以待2，6以待4。与人一接手，觉知对手9分劲力，我则以1对之；觉知对手2分劲力，我则以8待之。对手3分劲力，我6则不及，我8则过。此为觉人知人的功夫，此乃尺寸分毫的进阶之途。久而久之，便能由此而懂劲。由懂劲，阶及神明后，心由任物，而处物，而应物，乃至应物自然。由此可知，戴东原的“知觉运动”理论，为“听劲”提供了坚实的理论基础。

问：粘住敌人，一动手，彼即跌出，是用何法？

答：《太极拳论》云：“有上即有下，有前即有后，有左即有右”①，此三语，最宜注意。所谓诱之以利，攻其不备②者也。孙武子曰："备前则后寡，备后则前寡，备左则右寡，备右则左寡，无所不备，则无所不寡，寡者，不备之意也"。③ 盖备前则忘后，吾攻前，正所以攻后。备左则忘右，吾攻左，正所以攻右。与兵法正同矣。④

注释

① 有上即有下……有左即有右：语出武禹襄"又曰"。杨式拳学者在武禹襄文辞基础上，窜益成《太极拳论》，而将王宗岳的《太极拳论》，升格为《太极拳经》。

② 诱之以利，攻其不备：《孙子兵法·始计篇》第一云："利而诱之，乱而取之，实而备之，强而避之，怒而挠之，卑而骄之，佚而劳之，亲而离之。攻其无备，出其不意。"

③ 备前则后寡……不备之意也：语出《孙子兵法·虚实篇》第六。原文为："故备前则后寡，备后则前寡，备左则右寡，备右则左寡，无所不备，则无所不寡。寡者，备人者也。众者，使人备己者也。"

④ 盖备前则忘后……与兵法正同矣：微明先生引述武禹襄的三语，再从《孙子兵法》中找到相关的印证，目的是为了解答"粘住敌人，一动手，彼即跌出"的原理。此句答案为：原因就是，人的习惯在于对前手有准备时，往往就会疏忽后手。我前手粘住对手时，确实有想打他的意念，他对我的前手就会严加防范，这时，我前手其实是不动的，而是通过后手放劲，将意思贯穿至前手，仿佛是自己的后手在打前手，这样，对手因为没有感觉我前手的动作，所以也不至于脱手逃离，而我的劲已经透入他未曾逃离的手，穿透到他的中轴线了。当我后手放劲，他已避之不及，应声跌出了。左右前后都如此。这与兵法所讲的道理也是一样的。

问：不粘亦可听劲否？

答：亦或有此理。内家拳不外练精化气，练气化神，练神还虚，三种境界[①]。若能练精化气，则体魄坚刚，外力不入。若能练气化神，则飞腾变化，意动形随。若能练神还虚，则人我两忘，形神俱遣。至此境界，虽不粘而亦能制人矣。

注释

① 三种境界：微明先生所谓的内家拳“练精化气，练气化神，练神还虚”三种境界，源出孙禄堂《拳意述真》郭云深论形意拳之三层道理、三步功夫、三种练法。三层道理即为：炼精化气、炼气化神、炼神还虚。三步功夫为：易骨、易筋、易髓。而三种练法，将三层道理与三步功夫相互串气曰：明劲，拳之刚劲，易骨者，即炼精化气，易骨之道也。暗劲者，拳中之柔劲也，即炼气化神，易筋之道也。化劲者，即炼神还虚，亦谓之洗髓之功夫。其实，三种境界说，语出宋末道士李道纯之《中和集》引用的“丹书”：“炼精化气，为初关。身不动也，炼气化神，为中关，心不动也。炼神化虚，为上关，意不动也。”李道纯还进一步描述了初、中、上三关修炼要旨：“初关（炼精化气）先要诚，天癸生时急采之。中关（炼气化神）调和真息，周流六虚，自太玄关逆流至天谷穴交合，然后下降黄房，入中宫，乾坤交姤罢，一点落黄庭。上关炼神还虚，（以心炼念谓之七返，以情来归性谓之九还）。”

问：八卦掌，步行圜[①]式，移步换形，变化无穷，不知太极亦有圆转之步法否？

答：昔杨少侯先生，曾教余二人右手相粘，由下往上画一圆圈，两人之步，亦作圆形向右旋转，右步在内，一起一落，仍在原处。左步前迈，步落地极轻，所谓“迈步如猫形[2]”者是也。左手相粘，则左步在内，右步前迈，向左旋转，此系二人粘手练习，听劲之意，亦在其内。而移步换形，步法之变法，与八卦无异。

注释

① 圜：围绕，转圈。通“环”。

② 迈步如猫形：语出武禹襄“解曰”之“迈步如猫行，运劲如抽丝”句。

问：黄百家《内家拳法》[1]有应敌打法，色名[2]若干，如长拳滚砍、分心十字、摆肘逼门、迎风铁扇、异物投先、推肘捕阴、弯心杵肘、舜子投井、剪腕点节、红霞贯日、乌云掩月、猿猴献果、绾肘裹靠、仙人照掌、弯弓大步、兑换抱月、左右扬鞭、铁门闩[3]、柳穿鱼、满肚疼、连技箭[4]、一提金、双架笔、金刚跌、双推窗、顺牵羊、乱抽麻、燕抬腮、虎抱头、四把腰等名目，今之太极拳，亦有之否?

答：此皆用法之名，太极拳用法，听人之劲，随机应变，本无定法。昔时以形之近似，而假以名，历时既久，未敢强解以说，然其用法，未必尽失其传也。其要为“敬、紧、径、劲、切”[5]五字。敬者，时时留意，不敢散漫也。紧者，即粘连逼紧之意也。径者，近也，用最近捷之法也。劲者，坚刚之意，极柔软然后极坚刚也。切者，相密切而不丢离也。

注释

①黄百家《内家拳法》：盖指清初张潮辑编《昭代丛书》时所收录的黄百家《内家拳法》。其书系从《学箕初稿》之《王征南先生传》一文，芟其首尾，微加窜益，冠以拳法之名而来。

黄百家（1643—1709年）：乳名祝国，原名百学，字主一，号不失，又号耒史，别号黄竹农家，余姚人，黄宗羲三子。幼承庭训，博览群籍，研习天文历数等，精技击，从王征南学内家拳。明末随其父黄宗羲，结寨四明山，抗击清兵。康熙十九年，明史馆聘黄宗羲赴京与修，以年老辞。清康熙二十六年，明史馆遂延请黄百家、万斯同赴京入馆，撰《天文志》《历志》《勾股矩测解原》《夷希集》《北游纪方》等。清康熙三十四年，黄宗羲谢世后，与全祖望续编黄宗羲未竟稿《宋元学案》至百卷。

②色名：花色繁多的名称种类。现将黄百家《学箕初稿》中的《王征南先生传》全文备载之，以资研讨：

《王征南先生传》

征南先生有绝技二：曰拳，曰射。然穿杨贯戟善射者，古多有之，而惟拳，则先生为最。盖自外家至少林，其术精矣。张三峰既精于少林，复从而翻之，是名内家。得其一二者，已足胜少林。先生从学于单思南，而独得其全。余少不习科举业，喜事甚，闻先生名，因裹粮至宝幢学焉。先生亦自绝怜其技，授受甚难其人，亦乐得余而传之。有五不可传：心险者、好斗者、狂酒者、轻露者、骨柔质钝者。居室敧窄，习余于其旁之铁佛寺。

其拳法有应敌打法，色名若干：长拳滚斫、分心十字、摆肘逼门、迎风铁扇、弃物投先、推肘捕阴、弯心杵肋、舜子投井、剪腕点节、红霞贯日、乌云掩月、猿猴献果、绾肘裹靠、仙人照掌、弯弓大步、兑换抱月、左右扬鞭、铁门闩、柳穿鱼、满肚疼、连枝箭、一提金、双架笔、金刚跌、双推窗、顺牵羊、乱抽麻、燕抬腮、虎抱头、四把腰等。

穴法若干：死穴、哑穴、晕穴、咳穴、膀胱、虾蟆、猿跳、曲池、锁喉、解颐、合谷、内关、三里等穴。

所禁犯病法若干：懒散、迟缓、歪斜、寒肩、老步、腆胸、直立、软腿、脱肘、戳拳、纽臀、曲腰、开门捉影、双手齐出。

而其要则在乎练，练既成熟，不必顾盼拟合，信手而应，纵横前后，悉逢肯綮。

其练法有练手者三十五：斫、削、科、磕、靠、掳、逼、抹、芟、敲、摇、摆、撒、镰、擺、兜、搭、剪、分、挑、绾、冲、钩、勒、耀、兑、换、括、起、倒、压、发、插、削、钓。

练步者十八：踅步、后踅步、碾步、冲步、撒步、曲步、蹋步、敛步、坐马步、钓马步、连枝步、仙人步、分身步、翻身步、追步、逼步、斜步、绞花步。

而总摄于六路与十段锦之中，各有歌诀。其六路曰：

佑神通臂最为高，斗门深锁转英豪，仙人立起朝天势，撒出抱月不相饶，扬鞭左右人难及，煞锤冲掳两翅摇。

其十段锦曰：

立起坐山虎势，回身急步三追，架起双刀敛步，滚斫进退三回，分身十字急三追，架刀斫归营寨，纽拳碾步势如初，滚斫退归原路，人步韬随前进，滚斫归初飞步，金鸡独立紧攀弓，坐马四平两顾。

顾其词皆隐略难记，余因各为诠释之，以备遗忘。

诠六路曰：

斗门：左膊垂下，拳冲上当前，右手平屈向外，两拳相对为斗门。以右足踝前斜，靠左足踝后，名连枝步。右手以双指从左拳钩进，复钩出，名乱抽麻。右足亦随右手向左足前钩进，复钩出，作小蹋步，还连枝。

通臂：长拳也。右手先阴出长拳，左手伏乳，左手从右拳下亦出长拳，右手伏乳，共四长拳。足连枝，随长拳微搓挪左右。凡长拳要对直。手臂向内、向外者，即病法中戳拳。

仙人朝天势：将左手长拳，往右耳后向左前斫下，伏乳，左足搓左，右手往左耳后，向右前斫下，钩起，阁左拳背，拘右拳，正当鼻前，似朝天势。右足跟划进当前，横向外，靠左足尖，如丁字样，是为仙人步。凡步俱蹲矬，直立者病法所禁。

抱月：右足向右至后大撒步，左足随转右，作坐马步，两拳平阴相对，为抱月。复搓前手，还斗门，足还连枝，仍四长拳。敛左右拳，紧叉当胸，阳面右外左内，两肘夹胁。

扬鞭：足搓转向后，右足在前，左足在后，右足即前进追步。右手阳发阴，膊直肘平屈横前，如角尺样。左手扯后，伏胁，一敛，转面。左手亦阳发阴，左足进，同上。

煞锤：左手平阴屈横，右手向后，兜至左掌。右足随右手齐进，至左足后。

冲掳：右手向后，翻身直斫。右足随转向后，左足揭起。左拳冲下，着左膝上，为钓马步。此专破少林搂地挖金砖等法者。右手掳左肘，左手即从右手内竖起。左足上前逼步，右足随进后，仍还连枝。两手仍还斗门。

两翅摇摆：两足搓右作坐马步。两拳平阴着胸，先将右手掠开，平直如翅，复收至胸，左手亦然。

诠十段锦曰：

坐山虎势：起斗门，连枝足，搓向右，作坐马，两拳平阴着胸。

急步三追：右手撒开，转身，左手出长拳，同六路。但六路用连枝步，至搓转，方右足在前，仍为连枝步。而此用进退敛步，循环三进。

双刀敛步：左膊垂下，拳直竖当前，右手平屈向外，叉左手内。两足紧敛步。

滚斫进退三回：将前手抹下，后手斫进。如是者，三进三退。凡斫法，上圆中直下仍圆，如钺斧样。

分身十字：两手仍着胸，以左手撒开，左足随左手出，右手出长拳，循环三拳。右手仍着胸，以右手撒开，左足转面，左手出长拳，亦循环三拳。

架刀斫归营寨：右手复叉左手内，斫法同前。滚斫法但转面，只三斫，用右手转身。

纽拳碾步：拳下垂，左手略出，右手下出，上进，俱阴面。左足随左手，右足随右手，搓挪，不转面两纽。

滚斫退归原路：左手翻身三斫，退步。

鞱搥连进：左手平着胸，略撒开，平直，右手覆拳兜上，至左手腕中止。左足随左手入，敛步翻身。右手亦平着胸，同上。

滚斫归初飞步：右手斫后，右足搓挪。

金鸡立紧攀弓：右手复斫，右足搓转。左拳自上插下，左足钓马近半步，右足随还连枝。即六路拳冲钓马步。

坐马四平两顾：即六路两翅摇摆，还斗门，转坐马摇摆。

六路与十段锦多相同处，大约六路炼骨，使之能紧，十段锦紧后，又使之放开。

先生见之笑曰："余以终身之习，往往犹费追忆，子一何简捷若是乎？虽然，子艺自此不精矣！"

余既习其拳，射则以无其器，而仅传其法。

其射法：

一曰利器。调弓审矢，弓必视乎己力之强弱，矢又视乎弓力之重轻。宁手强于弓，毋弓强于手。如手有四力五力，宁挽三力四力之弓。古者以石量弓，今以力。一个力，重九斤四两。三力、四力之弓，箭长十把，重四钱五分。五、六力之弓，箭长九把半，重五钱五分。大约射的者，弓贵窄，箭贵轻；御敌者，弓宁宽，箭宁重。

二曰审鹄。鹄有远近，欲定镞之所至，则以前手高下准之，箭不知所落处，是名野矢。欲知落处，则以前手之高下分远近。如把子八十步，前手与肩对。一百步，则与眼对。一百三四十步，则与眉对。最远一百七八十步，则与帽顶相对矣。

三曰正体。盖身有身法，手有手法，足有足法，眼有眼法。射虽在手，实本于身。忌腆胸偃背，须亦如拳法。蹲矬连枝步，则身不动，臂不显，肩肘腰腿力萃于一处。手法务要平直，必左拳与左肘、左肩，及右肩、右肘，节节相对。如引绳发箭时，左手不知，巧力尽用之右手，左足尖、右足跟与上肩、手相应。眼不可单看把子。盖眼在把子，则手与把子反不相对矣。只立定时，将左足尖恰对垛心。身体既正，则手足自相应。引满时，以右眼观左手，无不中矣。

然此虽精详纤悉，得专家之秘授者，犹或闻之。

而惟是先生之所注意，独喜自负，迥绝乎凡技之上者，于拳则有盘斫。拳家唯斫最重，斫有四种：滚斫、柳叶斫、十字斫、雷公斫，而先生另有盘斫，则能以斫破斫。于射，则于斗室之中，张弦白矢，出而注镞，百发无失。卷席作垛，以凳仰置桌上，将席阁之，使极平正，以矢镞对席心，离一尺，满彀正体射之，矢着席，看其矢镞偏向，或左或右，即时救正之。上下亦然，必使其矢从席罅，无声而过。则出而射镞，但以左足尖对之，信手而发，自然无失。此则先生熟久智生，划焉心开，而独创者也。

方余之习拳于铁佛寺也，琉璃惨澹，土木狰狞。余与先生演肄之余，浊酒数杯，团圞绕步，候山月之方升，听溪流之呜咽。先生谈古道今，意气忼慨。因为余兼及枪、刀、剑、钺之法，曰："拳成，外此不难矣。某某处即枪法也，某某处即剑、钺法也。"以至卒伍之步伐，阵垒之规模，莫不淋漓倾倒，曰："我无传人，我将尽授之子矣！"

余时鼻端出火，兴致方腾，慕睢阳、伯纪之为人，谓天下事必非龌龊拘儒之所任，必其能上马杀敌，下马擒王，始不负七尺于世。顾箭术虽授，未尝习其支左屈右之形。因与先生约，将于明年正月，具是器而卒业焉。

当是时，西南既靖，东南亦平，四海晏如，此真挽强二石，不若一丁之时。家大人见余跅弛放纵，恐遂流为年少狭邪之徒，将使学为科举之文。而余见家势飘零，当此之时，技既成而何所用，亦遂自悔其所为。因降心抑志，一意夫经生业，担簦负笈，问途于陈子夔献、陈子介眉、范子国雯、万子季野、张子心友等。而诸君子适俱亦在甬东。先生入城时，尝过余斋，谈及武艺事，犹为余谆谆恺切，曰："拳不在多，惟在熟。练之纯熟，即六路亦用之不穷。其中分阴阳止十八法，而变出即有四十九。"

又曰：“拳如绞花槌，左右中前后皆到，不可止顾一面。”又曰：“拳亦由博归约，由七十二跌（即长拳滚斫、分心十字等打法名色），三十五拿（即斫、删、科、磕、靠等），以至十八（即六路中十八法），由十八而十二（倒、换、搓、挪、滚、脱、牵、绾、跪、坐、挝、拿），由十二而总归之存心之五字（敬、紧、径、劲、切），故精于拳者，所记止有数字。”余时注意举业，虽勉强听受，非复昔时之兴会，而先生亦且贫病交缠，心枯容悴而惫矣。

今先生之死，止七年，干戈满地，锋镝纵横。吾乡盗贼亦相蚁合，流离载道，白骨蔽野。此时得一桑怿足以除之，而二三士子犹伊吾于城门昼闭之中。当事者，命一二守望相助等题，以为平盗之政。士子摭拾一二兵农合一之语，以为经纪之才。龙门子《秦士录》曰：“使弼在，必当有以自见。”言念先生，竟空槁三尺蒿下，宁不惜哉。

嗟乎!先生不可作矣。念当日得竟先生之学，即岂敢谓遂有关于匡王定霸之略，然而一障一堡，或如范长生、樊雅等护保党闾，自审谅庶几焉。亦何至播徙海滨，担簦四顾，望尘起而无遁所，如今日乎？则昔以从学于先生而悔者，今又不觉甚悔夫前之悔矣。

先生之家世本末，家大人已为之志，小子不敢复赘。独是先生之术，所授者惟余，余既负先生之知，则此术已为广陵散矣，余宁忍哉。故特备着其委屑，庶后有好事者，或可因是而得之也。虽然，木牛流马，诸葛书中之尺寸详矣，三千年以来，能复用之者谁乎？

③ 铁门闪：黄百家作“铁门闩”。

④ 连技箭：上文引录的黄百家《学箕初稿》之《王征南先生传》中，作“连枝箭”。

⑤ 敬、紧、径、劲、切：始见诸沈一贯《喙鸣文集》之“搏者张松溪传”：“张有五字诀，曰勤，曰紧，曰径，曰敬，曰切。其徒秘之，余尝以所闻妄为之解。曰勤者，盖早作晏休，练手足力，少睡眠。薪水井臼必躬。陶公致力中原，而恐优逸不堪，以百甓从事，此一其素也。

曰紧者，两手常护心胸，行则左右护胁，击刺勿极其势，令可引而还。足缩缩如有循，勿举高蹈，阔丁不丁、八不八，可亟进，可速退。心常先觉，毋令智昏。立必有依，勿处其后。众理会聚，百骸皆束，畏缩而虎伏。兵法所谓始如处女。敌人开户者，盖近之。曰径，则所谓后如脱兔，超不及距者。无再计，无返顾。勿失事机，必中肯綮。既志其处，则尽身中一毛孔力，咸向赴之。无参差，若猫捕鼠。然此二字，则击刺之术尽矣。曰敬者，儆戒自将，勿露其长。好胜者，必遇其敌。其防其防，温良俭让，不忮不求，何用不臧。曰切者，千忍万忍，掐指咬齿，勿为祸先，勿为福始，勿以身轻许人。利害切身，不得已而后起，一试之后，可收即收，不可复试。虽终身不见其形，不成其名，而亡所悔。盖结冤业者，永无释日，犯王法者，终无贳期，得无慎诸。闻张之受于孙惟前三字，后二字张所增也。”

问：太极拳必求其柔，柔之利益何在?

答：求其柔者，所以使全身能撤散，而不连带也。[①] 假如推其手，手动而肘不动。推其肘，肘动而肩不动。推其肩，肩动而身不动。推其身，身动而腰不动。推其腰，腰动而腿不动。[②] 故能稳如泰山。若放人之时，则又由脚、而腿、而腰、而身、而肩、而肘、而手，连为一气，故能去如放箭。[③] 若不能柔，全身成一整物，力虽大，然更遇力大于我者，推其一处，则全身皆立不稳矣。柔之功用，岂不大哉。故能整能散，能柔能刚，能进能退，能虚能实，乃太极拳之妙用也。[④]

注释

① 求其柔者……而不连带也：太极拳所追求的“柔”，目的是为了让全

身关节，节节分散，节节贯穿，节节对拉拔长，在运动或比手时，不至于受牵制。

② 假如推其手……腰动而腿不动：每一节都能随心所欲地“断”。

③ 若放人之时……故能去如放箭：每一节都能随心所欲地“接”。

④ 故能整能散……乃太极拳之妙用也：因此，太极拳需要练到节节能分散，节节又能整合；处处能松柔，处处又能坚刚；随时能进，随时能退；处处能虚，处处又皆实。这才是太极拳的精妙功用所在。

二水按：杨式太极拳老拳谱三十二目“太极字字解”，列举三十六字，从于己于人角度，分析了手眼身法步的要领，执其两端而用中，戒慎恐惧而慎独，执中用中而一以贯之，最终将真假懂劲的界限，落实到“断”“接”两字上，认为只要掌握了“断接”之能，便能见隐显微，便能阶及神明。三十二目之“懂劲先后论”，对此有更近一层的解释：“夫未懂劲之先，长出顶匾丢抗之病。既懂劲之后，恐出断接俯仰之病。然未懂劲，故然病亦出，劲既懂，何以出病乎。缘劲似懂未懂之际，正在两可，断接无准矣，故出病。神明及犹不及，俯仰无着矣，亦出病。若不出断接俯仰之病，非真懂劲，弗能不出也”。断接之要，须从“柔”处着手，明矣。

问：太极拳不用抵抗力，何以推不能动?

答：太极拳虽不用抵抗力，然不用力而练出之掤劲，极为圆满，[1] 不但两臂有之，全身处处皆有。故功夫深者，彼虽有时不用化劲，而亦推之不动，其抵抗力实为极大，此非有意之抵抗，所谓重如泰山者是也。

注释

① 太极拳虽不用抵抗力……极为圆满：掤劲，是在节节对拉拔长的基础上，把自己身体三大节九小节构建成一个能接能断的活动间架。这一间架与周遭的空间，形成一个有形无形的"阴阳球体"。行拳走架，其实就是在"盘"这个架子。以这个球体的圆弧面与充盈的气感，去应对对手的劲力，对手触碰在浑厚球体上，无所适从，无能为力。这便是微明先生所讲的"非有意之抵抗，所谓重如泰山者"。

问：有时用力推之，而觉无有，何耶？①

答：此即是化劲。能不丢不顶，其长短、缓急，均与来者适合，如捕风捉影，处处落空。看是甚轻，而不知乃是提起全付精神，运用腰腿，所谓轻如鸿毛者是也。②

注释

① 有时用力推之……何耶：有时用力去推别人，突然觉得什么都推不着，这是为什么呢？

② 看是甚轻……所谓轻如鸿毛者是也：在化却对手劲力时，貌似很轻松自如，其实并非轻描淡写就能完成的。关键之处在于，腰背后靠，中轴竭力后撤至极限，胸腹全然掏空，了无牵挂，只有这样，才能提起全副精神，两脚维持中轴稳定的际沿，才能运化裕如，对手一旦触及你手，就会感觉你的胸腹腰腿之间，犹如悬崖，让人有如临深渊之惊恐感，这就是微明先生所讲的"轻如鸿毛者是也"。

问：推手之拿法如何?

答：太极之拿[1]，并非用大力按住，使之不能动也。其原理有三：一，所拿之直线方向，能背住对方之力，不能用力翻过。二，对方之力虽大，我不与抵抗，略随之起转一圆圈，则彼力自断，复随我之曲线，而转至原处，不能翻过，此皆含有几何及力学之理。三，内劲充足，虽轻轻粘住，对方亦不能动。一二，法也。三，劲也。[2] 知法而无劲，有劲而不知法，皆不能拿人，皆不可缺者也。

注释

① 太极之拿：太极拳的技法之一，与擒拿之拿迥异。

二水按：擒拿术，以力气与速度制人于关节处，动辄伤筋动骨。倘若被擒之人，擅太极听劲，顺其势而为，则能反制。太极之拿，不同拳家，风格也有不同。大致可分作三类：其一，李亦畬《五字诀》中“盖吸，则自然提得起，亦拿得人起”之“拿”，此是以意运气，通过吸提呼放，一接手，便能牵动对手的重心。其二，三十二目老拳论“太极膜脉筋穴解”之“节膜、拿脉、抓筋、闭穴”里的“拿脉”。“脉若拿之，气难行走”，一接手，即能巧妙地管住对手的劲路，把对手预动而未动的劲力，笼盖起来，像把猛虎关进了笼子。此微明先生所谓“内劲充足，虽轻轻粘住，对方亦不能动”。其三，拿劲。即微明先生所述之一、二两种情形。这两种情形，其实都是“找两点，打第三点”，三点串成一杠杆，利用杠杆原理，像秤纽、秤砣与秤钩，巧妙地利用秤纽的里纽与外纽的变化，作用于对手。微明先生所述的第一种，系主动出击，第二种则是先化却对手旧力，顺着旧力，再巧妙地寻找机会，以“找两点，打第三点”。

② 一二……劲也：微明先生将前述一、二两类的拿劲技法，归结为纯粹的技巧。而他所说的第三类，“内劲充足，虽轻轻粘住，对方亦不能动”，归结为 “劲”，意思是通过日积月累而养成的功力。

问：《太极拳论》云："舍己从人"，岂自毫不作主张乎?

答：论[1]所谓"舍己从人"者，即老子所谓"与之为取也"[2]。随彼之长短，则视我之功夫之大小。功夫小者，则随之必长，必俟其力尽后，方能回击。功夫渐大者，则随之亦可渐短，俟其力之半途断时，即可回击。功夫愈大者，则随之极微，彼力已断，即可回击。有时粘住彼力竟不能发出，即可放劲，则不必从人而自作主张矣。[3]

注 释

① 论：王宗岳《太极拳论》的简称。原文为："本是舍己从人，多误舍近求远。所谓差之毫厘，谬之千里。"

② 与之为取也：语出老子《道德经》三十六章："将欲歙之，必固张之。将欲弱之，必固强之。将欲废之，必固兴之。将欲取之，必固与之。是谓微明。柔弱胜刚强。鱼不可脱于渊，国之利器不可以示人。"

二水按：老子《道德经》三十六章，从世事万物"歙"与"张"、"弱"与"强"、"废"与"兴"、"取"与"与"等，两种极端态势的相互转化，来揭示阴阳生息的规律，这便是"起事于无形，而要大功于天下"道微而效明的"微明"，进而阐述了老子一贯以来柔弱胜刚强的理念。微明先生于此章旨意深相契合，于是以"微明"自号，而行于世。

③ 随彼之长短……自作主张矣：详细阐述了推手实践中，根据己身功夫进阶的过程，舍己从人的四种情形。第一，我功夫尚浅时，必须顺着对方的劲势，顺随的轨迹长一些，等到他劲力走完了，旧力略过，新力尚未生时，才能回击。这便是"想要取它，必先给予它"的道理。这有"吞"的意思。第二，自己的功夫逐渐地增大，那么顺随对方劲势的轨迹，也可以缩短，只要等对方劲势过半，他的劲势不足以影响我的稳定时，反而可以借用对方尚未耗尽的劲势，反作用于对手。这有"对"的意思。第三，自己功夫越来越好，则顺随对手劲势的轨迹，也显得很短，甚至微乎其微，只要等对

手劲势稍有落空，即可回击。此有“盖”意。第四，有时候，只要粘住对手，对方仿佛被笼罩在一个无形的大口袋中，任其作为，无济于事，此有“敷”意，这样，就不必舍己而从人，直可以从心所欲，自作主张了。

问：放劲时，沉着松净，专主一方，是否全身之劲皆去？

答：是。全身之劲去，故放之必远。若只两臂之劲，则有限矣。太极放人之劲极长①，而功夫愈大者，则其动愈短。有时不见其动，而人已跌出，盖其动虽短，其劲仍甚长也。

注释

① 太极放人之劲极长：长劲，是太极拳区别于其他武技最为显著的特点，与所谓的惊抖冷弹者，有云泥之别，是“武技”进阶为“武艺”最为显效的特征。长劲者，放劲者动作幅度愈见其微，而被发放者反应愈见其效。田兆麟老师曾说太极放劲，被发放者手足身躯不受苦楚，而两脚脚底或许打疼。家师慰苍先生曾说，太极拳是“讨打”的拳，因为被发放者身体尚未任何知觉，动辄被腾空被跌出，身上有无苦楚，遂觉好奇，于是又会央求再试试。是谓之“讨打”者。

问：《太极拳论》云：“动中求静静犹动①”，如推手之时，动中如何求静？

答：推手与人相粘，随人转动，动之中须有静意。如动中无静，是为流动，则动必不能稳。假使敌人，乘我之动而放劲，流动必为人放出。动中有静，意随时能听劲变化，不易为人放出。②

静之中须有动意。如静中无动，是为死静，则静必不能活。假使敌人，乘我之静而放劲，死静必为人放出。[3]静中有动，意随时能听劲变化，不易为人放出。此最精之理也。

注释

① 动中求静静犹动：《十三势行工歌诀》载“静中触动动犹静，因敌变化是神奇”句，武禹襄作《打手要言》解曰：“发劲须沉着，松静，专注一方。所谓‘静中触动动犹静’也”“身虽动，心贵静。气须敛，神宜舒。心为令，气为旗。神为主帅，身为驱使。刻刻留意，方有所得……须知：一动无有不动，一静无有不静。视动犹静，视静犹动。”

② 推手与人相粘……不易为人放出：此句谈推手时的“动中求静”。与人推手时，手在顺随别人而转化运动时，每一动每一转折，必须有即刻能停顿、能断接的意思。如果一味地顺应别人而动，就像随波逐流，而无中流砥柱，流中而无留，这样的“动”，就不能求稳，容易遭人放劲。动中之静，流中之留，悉数在于“气须敛，神宜舒”的听劲。

③ 静之中须有动意……死静必为人放出：此句谈推手之中的“静中求动”。与人推手，对方接我手，他虽不动，我也不能妄动。但我的这种静态之中，倘若只是一味地顺着对手，无所适从，那么这种静，称为死静。对方可以趁机发放，我则避之不及。静中之动，精妙之处，也在于“凝神听细雨”的听劲。武禹襄《打手要言》解曰“彼不动，己不动；彼微动，己先动。以己依人，务要知己，乃能随转随接；以己粘人，必须知人，乃能不后不先”句，知己知人，方能随转随接，方能不后不先。

问：推手掤攦挤按，用同一之法，有施之甲而能放出，施之乙不易放出，则又何故？

答：此各人身体刚柔动作之性质不同也。有臂软而腰硬者，臂硬而腰软者；有臂腰俱软者，有臂腰俱硬者，故用同一之法，而效则异。① 此则，须舍其活动难放之处，打其不动易放之处；舍其活动难放之时，打其动完易放之时，则每发必中矣。②

注释

① 此各人身体刚柔动作……而效则异：微明先生从对手身体“臂、腰”的刚柔程度，来分析“掤攦挤按”同一技法，作用于人，之所以产生不同效用的原因。

② 此则……则每发必中矣：不管是臂软而腰硬，臂硬而腰软，臂腰都软、臂腰都硬的，理论上说，对方软处或软时，因为“软”容易变动，所以对方之力不容易被借用，对方节节之间，不容易被串起，所以发放对手就会相对较难。反之，对方硬处或硬时，因为“硬”，不容易转接变化，其劲容易被我借用，其节节因硬而已经串成一体，所以发放对手相对就容易。

二水按：此节，微明先生精确地用“处”与“时”来掌控空间与时间。时机的把握和空间的丈量，是太极拳得机得势的根本，也是太极拳的灵魂所在。有所为，有所不为，为与不为，一切均取决于神速之中机的把握与势的运用。

问：何谓难放易放之处？

答：譬如甲此处甚活，彼处不活，即打其不活之处，易放之处①。

注释

① 易放之处：进一步从对方“活”与“不活”来解释易放之处，阐述拳势之中对空间的掌控。

[①]何谓难放易放之时?

答：譬如甲正动之时，方向已变，不得中心，是难放之时。此中心将过，得第二个中心，彼来不及变动，则是易放之时[②]也。

注释

① 此处脱一“问”字。

② 易放之时：进一步从“动”与“不动”，是否能瞄准对手“中心”来解释易放之时，阐述拳势中对时间的掌控。

问：何谓退中求进?

答：假使敌人进迫，我不能不退。然有时手臂粘住之处，随彼之进而回屈者，而同时身步反往前伸进，彼力完时，我手随腰放劲，则彼跌出更远[①]。

注释

① 假使敌人进迫……则彼跌出更远：此节阐述退中求进。对手劲势进迫时，我手臂粘住处不动，肘部随对手进迫之势而回屈，与自己的两胯似有合意，肩胯竭力往里抽劲，而身形则顺着内抽之势，反而“迎而夺之”，此时，对手之进破之势，如遇一堵墙体，而对手粘我之手，则会有如触碰一柄

利器，避之不及，自然被跌出更远了。

二水按：家师慰苍先生1961年6月30日得叶大密老师口授，执笔《医疗保健太极拳十三式》理论部分提纲；同年7月16日，得叶老师《医疗打手歌》（定稿时改名《揉手歌》），其中即有迎随之说，终因诗句简短，无由达意。1972年10月，家师作《迎泻随补解》以释之云："针灸有迎泻随补之法，太极推手亦然。推时于彼劲之方来而未逞之际，进身以遏其势，谓之迎；于彼劲之始去而未走之时，伸手以送其行，谓之随。以身手言：迎时身进而手退，身高而手低，故是合、是提、是泻；随时手进而身退，身低而手高，故是开、是沉、是补。以呼吸言：迎是吸、是逼；随是呼、是放。能懂得迎泻随补，则手法自无足论矣。然必行之不失其时。若夫于彼劲之已出而迎之，则非顶即抗；于彼劲之既化而随之，则不匾即丢，是为迎随之病。未懂迎随，多犯匾丢；既懂迎随，多犯顶抗。夫未懂故犯病，既懂又何犯病？盖后者尚在似懂未懂之间，非真懂也。不及为匾，相离为丢，匾丢遇补则背，其病在于气势散漫；出头为顶，持力为抗，顶抗遇变必断，其病在于身滞不灵。气散身滞，久之以力使气而不自知，终究莫名其精妙，更无论于通会脱化矣。"

问：太极拳最要是不丢不顶，假使对方能听劲，二人不丢不顶，则永远不能将人放出，将如之何?

答：假使对方两臂均能听劲，不能得其机会，而身上尚未能听劲，忽然乘机丢断，速往身上放劲，亦有时能将对方放出，所谓"劲断而意不断①"也。

注释

① 劲断而意不断：杨式太极拳老拳谱三十二目之“太极字字解”云：“劲断意不断，意断神可接。”

二水按：此节阐述对手两臂也能听劲之时，需要用“劲断意不断”的断接之能，来引动对手不由自主的反馈力，进而借其不由自主地反馈，而得机取之。家师慰苍先生曾说，太极拳“不丢不顶”只是粗浅功夫，“即丢即顶”方显断接之能事。

问：前言不粘之时，亦能听劲，其情形如何?

答：粘住，人不能将我打出，是能听粘住之劲。不粘住，人即能将我打出，是不能听不粘住之劲。不粘住之劲，亦要能听。无论不防之时，人不能将我打出。则是功夫纯到，而能听不粘住之劲①也。

注释

① 听不粘住之劲：前一则，阐述对手两臂也能听劲，须“劲断意不断”，以断接之能来应对之。此则阐述劲意皆断的不粘手听劲，则须以“意断神可解”来应对之。杨式太极拳老拳谱三十二目之“太极字字解”云：“求其断接之能，非见隐显微不可。隐微，似断而未断，见显，似接而未接。接接断断，断断接接，其意心身体神气极于隐显，又何虑不粘黏连随哉。”

太极拳之散手

问：太极拳之散手，如何用法？

答：太极拳七十余式，均是散手。

既有散手，何必又习推手之法？盖太极拳散手之变化，均由推手听劲而来，能听劲，则散手方能用之而适当。若不粘住敌人，不知听劲，则用散手，亦犹外家拳之格打，未必着着适当也。①

《太极拳论》云："由着熟而渐悟懂劲（着即是散手），由懂劲而阶及神明"，可见着熟，是第一层功夫，懂劲是第二层功夫。着熟不难，懂劲最难。

注 释

① 盖太极拳散手……未必着着适当也：此节以能否听劲，能否粘住对手，来区分太极拳散手与外家拳格打之间的本质区别。十分精到。

譬如敌人打一拳来，若不先粘住，则不能听人劲之，不能听人劲之[1]，则不能或左或右，或高或低，或进或退，而施用散手。既粘住之后，若敌人手往上起，则亦随之而起，即可以左手击其胸部；若敌人手往下落，则随之下落，以左手击其面部；若敌人手往前进，劲偏于左，则随之向左化去其力，即可分手，以左手粘之，腾出右手击其头部；劲偏于右，则随之向右化去其力，以左手击其头部，或肩部；若敌人抽拳，则趁势向前放劲。此略言其大概也。

总之，太极之散手，与他种拳之散手不同。太极拳之散手，是由粘住听劲而出。他种拳之散手，是离开而各施其手脚，远则彼此不相及，近身则互相抱扭，仍有力者胜焉。

注 释

① 不能听人劲之：似有脱漏之处，依照推手听劲节补作“不能听人劲之方向、长短”。

许君禹生所作《太极拳势图解》[1]，每式之后，均附以应用，甚为详细。余曾叩之杨澄甫先生，云：“太极拳术，若将散手用法加入，则更备矣。”先生曰：“太极拳散手，随机应变，无一定法。若会听劲，则闻一知百。若不会听劲，虽知多法，亦用不好。故余所著之书，未将散手加入也。”

孙武子曰：“知己知彼”“后人发，先人至”，太极听劲，全是知彼功夫。能粘住敌人，彼不动，我不动；彼微动，我先动。彼不会听劲，一动即跌出矣。若太极拳听劲功夫尚不能到，不能粘住敌人，则不必与人动手可也。

注释

①《太极拳势图解》：北京体育研究社编著的太极拳推广教材。

二水按：其书初版于民国十年十二月，作者许禹厚，较初版于民国十年六月的孙禄堂《太极拳学》晚半年，系太极拳界公开出版的第二本专著。其书分上下两编。上编分别以绪言、太极拳之意义、十三式名称之由来、太极拳合于易象之点、太极拳之流派、太极拳经详注等章节，阐述太极拳的理论基础。首先以“太极拳经”之名，公开了王宗岳的《太极拳论》，且加以详注，对后世太极拳发展意义深远。下编分别以太极拳路之顺序及运动部位图、太极拳各势图解、论太极拳推手术、推手术八法释名、太极拳应用推手术等，详尽地阐发了太极拳技艺之精妙。尤其是所例举 74 式拳势，一一皆有释名、动作说明、图解分解、注意事项、应用等。

许禹厚，字禹生，河北宛平人，祖芴臣公，清进士，同治间宦山东，历官至布政使，属下多技击名家，禹生幼年，课读之暇，每从之研究武技。甲午之役，父仕北京，英年早逝，禹生年届弱冠，见国体日衰，益励志习武，广访各派名师益友，发奋钻研，涉历内外各家。若少林，若六合，若岳氏，若八卦，若通臂，而专功于太极拳，盖于是时已植其基。以杨氏班侯、健侯，刘氏德宽，宋氏书铭为之师；以纪氏子修，吴氏鉴泉，杨氏少侯、澄甫，刘氏凤春，李氏存义，张氏玉莲诸人为之友；复究心陈沟各项拳法，旁及器械，集各派之精华，卓然有所树立，数十年而不懈，于太极拳擅独得之秘。民国初年，出任教育部专科系主事，建议学校设置国术课，并成立体育学校，将武术列入学科考试科目。1912 年 11 月，邀北平武术界吴鉴泉、赵鑫洲、葛馨吾、纪子修等创办北平体育研究社。1916 年，附设北平体育讲习所，延聘吴鉴泉、杨少侯、杨澄甫、刘恩绶、纪子修、刘彩臣等任教。1918 年，创刊《体育》。1929 年 12 月，倡导成立北平市国术馆。编著有《少林二式》《罗汉行功法》《太极拳势图解》《神禹剑》《陈式五路太极拳》《中国武术史略》等。

问：若遇他派拳家，手脚极快，一时不能粘住，将奈之何？

答：他派拳，均以离开见长。然离开过远，亦不能打上吾身。若欲打上吾身，必系手足能相及之处。彼近吾身，则吾可粘之矣。粘住之后，则可听彼之劲。急动则急应，缓动则缓随。若遇此时，不可胆小，急进身粘之，粘住则无危险，不粘，则彼可得势矣。①

注 释

① 若遇此时……则彼可得势矣：倘若遇到这种状况，不可胆怯，要即刻进身逼紧，粘住对手，只要能粘住，对手就无法散手击打。没有粘住，那么对手就能得势击打了。

二水按：俞大猷《剑经》总诀歌有云："视不能如能，生疎莫临敌。后手须用功，徧身俱有力。动时把得固，一发未深入。打翦急进凿，后发胜先实。步步俱要进，时时俱取直。更有阴阳诀，请君要熟识。"临阵胆怯，则斗志全泄，不敢进身粘接对手，则易遭对手散手击打。枪法中，"打翦急进凿，后发胜先实""步步俱要进，时时俱取直"与太极拳进身粘接理同。

问：二人粘手听劲之功夫略等，亦能施用散手否？

答：此则不易施用。盖俱能听劲，则不使之脱离故也。若一方能丢离，而施用散手，则其功夫必较深。① 故精于太极者，粘住人，则对方决难以施其散手。故粘手之功夫，至为重要，而不可轻视之也。

注 释

① 若一方能丢离……则其功夫必较深：在两人皆能听劲前提下，一方倘能即丢即顶，接接断断，似断而未断，似接而未接，则可随意施之于散

手，其功夫一定较对手深厚。

问：揽雀尾之用法如何？

答：敌如右拳打来，我以右手粘之；敌如又用左拳打来，则左手粘其手腕，进右步，如右步本在前，则不必进，以右臂搬之；彼如向后夺①，则趁其夺劲挤之，或按之，看其形势如何而应用之可也。

注释

① 夺：强取。用力改变形势。

问：单鞭之用法如何？

答：单鞭之用，系应付左右两面之敌，有时亦用双掌。

问：吊手有何用？

答：吊手是卷劲①，用时先以指，继以手指之骨节，继以手背，继以腕骨，如轮之向前向下转动。

注释

① 卷劲：太极拳的常见劲别。

二水按：见诸单鞭右手的勾吊，由小指、无名指、中指、食指、拇指，貌似数指，实则指指内扣，同时，劲力逆向由指尖回溯到指梢节、中节、根节，乃至手背、手腕，直到屈肘、松肩。这一过程完成了右手手三阳劲路的由外向内，也完成了左手手三阴劲路的由内而外。训练日久，握拳之捶，不但能拿人于不意，或透入彼髓内，双手意气之转换，亦多圆活之趣。诚如杨澄甫《太极拳使用法》所说“犹如半瓶水，左侧则左荡，右侧则右荡，能如是不但得圆活之趣，更有手舞足蹈之乐。至此境地，若人阻我练拳，恐欲罢不能也。”

问：提手用法？

答：我进右拳或右掌时，敌若以右手下按，我之右腕，则随其按动而下松，以左手分其右手，腾出右手，由下而上提，由腹而胸而下颏而鼻，此向上之提劲也。

问：白鹤亮翅①用法？

答：我进右掌或右拳，敌若以左手往下按我右腕，以右拳回击，则吾右手随其下按之劲而下松，以左手粘其右拳，略往下採。右手从右边旋转而上，以手背击其太阳穴，此名为反珠掌。

注释

① 白鹤亮翅：许霭厚《太极拳势图解》白鹤亮翅释名“此式分展两臂，斜开作鸟翼形，两手两足皆一上一下，一伸一屈，如鹤之展翅，故名……练习此势，有斜展正展之别，实是一为展翅（斜），一为亮翅（正）。”图解中，分别勾勒了图一的展翅（斜）、图二的亮翅（正）。而之后的微明先生《太极拳术》、杨澄甫《太极拳使用法》还是杨家诸脉传承的拳势中，皆不见图二的亮翅（正）式，而独独于吴鉴泉一脉的传承中，或能见之。

问：搂膝拗步用法？

答：敌击右拳，我以左手往外搂，以右掌击其胸部。反之敌若击左拳，我以右手往外搂，以左手击其胸部亦可。

问：手挥琶琵用法？

答：敌若以右拳打来，其臂甚直，我以右掌接其腕，以左掌接其肘，往右用腰劲，两掌相错，则彼之臂必受伤。若劲整时，则肘处之骨节或断也，此即㩗劲，亦谓之撅劲[①]。

注 释

① 撅劲：太极拳常见劲别。

二水按：详见“掤㩗挤按四字，能包涵无穷之变化耶”问答之注④（第一五三页），㩗劲时，两手协同，拿住对手的腕臂或肘肩，做反向拗撅，以拿对手劲源。

问：进步搬拦锤用法？

答：敌若以右拳打我胸部或腹部，则以右拳由上往下接按其腕，手心向上，以左掌击其面部；彼若以左手接吾左掌，则速以右拳击其腹部或胸部。即所谓紧三锤[①]也。

注 释

① 紧三锤：许霆厚《太极拳势图解》释名云：“此太极拳五锤之一。进步搬拦锤者，与后之退步搬拦锤、卸步搬拦锤之对称也。”田兆麟老师传

授的杨式中架中，以翻身撇身锤里的左手劈掌、右手打锤，以及左手劈掌后与右肘形成的撅臂，紧接着右手与左肘之间的撅臂、左手顺势劈掌，这些过渡动作构成了折叠锤，或又称筋斗锤，再与后式的上步搬拦锤，势势连环，合称紧三锤。微明先生致柔拳社聘任的教练陈志进先生，师承田兆麟老师，他的拳势名目中依然能见“撇身锤，折叠锤，上步搬拦锤”三势连环。

问：如封似闭用法？

答：我击右拳时，彼若左手横推吾肘，我则以左手，由肘外接其腕，随彼推劲而往右领，右手腾出适按其肘节，两手齐按，则彼跌出矣。

问：十字手用法？

答：此我两手，粘住彼之两手，有时欲用分劲，或用合劲时用之。

问：抱虎归山用法？

答：抱虎归山乃应两面敌法，故先分手，敌若由右面斜进来打，我即以右手由上接粘之，以左掌击其面部。设又有敌人由左面来攻，则转身以单鞭击之。杨少侯先生云：“抱虎归山，尚须下身抄虎之前后腿”，盖又一种练法也。

问：肘下锤用法？

答：此连环三手也，以右掌或拳，横击敌之太阳穴。设敌以左手由外来隔，则抽回藏左肘下，以左掌击其面部。设彼又隔我左掌，则右掌由肘下击其胸部。三手必有一中也。

问：倒辇猴用法?

答：敌若以右拳击我胸部或腹部，则以左掌採其右腕，含胸坐后腿，以右掌击其面部。敌若以左拳击我胸部或腹部，则以右掌採其左腕，含胸坐后腿，以左掌击其面部。

问：斜飞式用法?

答：吾击右掌或右拳时，敌若以左手往右推吾右肘，则以左手从右肘採其左手，腾出右手，向其太阳处击之。此即挒劲也。

问：海底针用法?

答：敌若握吾右腕时，则用海底针式，彼即不能得力，手必松散。

问：扇通臂用法?

答：敌握吾右腕，既用海底针化去其力，彼若上夺，则顺势右手上抬，进左步以左掌击其胸部。

问：撇身锤用法?

答：我用右肘击敌，彼若以手下按，则随其下接之力，沉肘，以拳下击其胸部，左掌击其面部，此亦谓之筋斗锤[1]。

注释

① 筋斗锤：肘部一击一沉，继而成功之为一锤，陈志进先生谓之折叠锤。

问：抎手用法？

答：抎手本为练腰之要式，两手如轮，所以搌敌之手也。或敌由后面来击，我转腰以臂接之，翻掌击其肩部。

问：高探马用法？

答：敌击右拳，我以左掌接之，以右手击其面部。

问：右分脚用法？

答：敌若以左掌或拳来击，吾进右步，以左手接其腕节，以右臂撅之，起右脚踢其腹部。敌若以右掌或拳来击，吾进左步，以右手接其腕节，以左臂撅之，起左脚踢其腹部。

问：转身蹬脚用法？

答：敌由后面来击，则转身分手击其面部，随以足蹬之，使之不能防也。以下蹬脚，大概相同。

问：栽锤用法？

答：设敌伏身，以手击吾下部，或搂吾之左足，即以左手搂开，以右拳下击之。

问：白蛇吐信用法？

答：与搬身锤相同，不过此用掌耳。

问：披身伏虎式用法？

答：敌双手握我右臂，则右臂随腰往下往右转动，则可化彼之力。以左手握其右肘，腾出右手，可以绕上横击其头部。如双手握我左臂，则向左转动，以右手握其左肘，腾出左手，绕上击其头部。或敌左手推吾右腕，吾以左手由臂下接其左腕，腾出右手，以拳击其腰部。反之敌若右手推吾左腕，吾以右手由臂下接其左腕，腾出左手，以拳击其腰部。惟两足亦必随势而迈动，如练拳时之步式。

问：双风贯耳用法？

答：设吾双手前按时，敌以两手下压，则顺势由下分开，上击其耳门。

问：野马分鬃用法？

答：敌若右拳击吾头部或胸部，则我以右手往左採之，进左足迈至彼之身后，以左臂进抵其胸，腰往左转，则彼身必往左跌。敌若左拳来击，吾左手往左採之，进右足迈至彼之身后，以右臂进抵其胸，腰往右转，则彼身必往右跌。

问：玉女穿梭用法？

答：敌以右拳或掌击我头部，我以左臂上掤，以右掌击其胸部，凡我臂与彼相粘时，彼手若上起，则可以玉女穿梭式击之，势顺而易也。

问：单鞭下势用法？

答：下势系因敌人猛力往前，则坐身以化其力，然后起而击之。

问：金鸡独立用法？

答：与敌贴身太近时，则以掌或拳击其下颏，同时以膝击敌之小腹。

问：上步七星用法？

答：敌若以拳由下往上击吾面部，则以两拳架而放之，此亦截劲也。或同时起右足踢其下部，凡足虚点，皆预备用足也。

问：退步跨虎用法？

答：用上步七星法，设敌力甚大，复往前进，则退步分手，领彼之拳倾向旁侧，则起左足踢之。

问：转脚摆莲用法？

答：敌若以右拳来击，吾以右手往右领，以左手推其肘，则可旋转身躯，以右足踢其背部。

问：弯弓射虎用法？

答：敌若往右推吾右臂，即顺其劲往右松，彼力尽后，则以右拳转至彼右肋下，用腰劲回放之。

以上所举散手用法，不过言其大概。然敌之来势无定，我何能执一定之法而御之。总之非随机应变不可。[①]若欲随机应变，非平时推手，练出极灵敏之感觉，虽手疾眼快，亦不能用之密合而无间。[②]故用散手，仍须由粘手变化而来，不然，虽记得打法解法数百手，亦不能应付千门万派之拳脚。太极惟有一粘字，千变万化，皆由粘字而出。[③]《太极拳论》云："人不知我，我独知人，英雄所向无敌，盖由此而及也"，盖推手之法，全是练习知人功夫。他派拳法虽好，惟无推手，故全靠手疾眼快，然一粘住，则不知劲来之方向长短，不免有抵抗或落空之弊。孙子曰："知彼知己，百战不殆"，即此意也。

注释

①以上所举散手用法……总之非随机应变不可：上面例举的散手用法，不过只是说些大概的技击含义，目的是在行拳走架时，意有所附，精神容易集中，便于训练攻防意识。就像是学习外语，背诵情景对话而已。倘若遇敌对垒，敌人没有一成不变的一招来，一招去，我也自然不能简单地用固定的招式去应对。总之，得随机应变，根据对手实际问话来回答他的问题，而不是生搬硬套情景对话。

②若欲随机应变……亦不能用之密合而无间：倘若要学会随机应变，不是通过平时的推手听劲、喂劲来训练灵敏之感觉，即使眼捷手快，也不能运用得严丝合缝，应对裕如。

③故用散手……皆由粘字而出：倘若要运用于散手，仍然需要通过粘手来随时断接对手的身手变化，倘若不是这样，临阵时无法粘住对手，无法断接之能，即便记得数百手的打法解招，也无法应付各门各派千手万脚的变化。太极拳，说到底就只是一个"粘"字，千变万化，都由这个"粘"字化出来的。

问：粘住敌人之手，彼若用脚，则将如何?

答：亦可随时知觉。彼用腿则身必动，彼将起脚，我往下採其手，则彼腿自不能抬起而落下。或彼将起脚我进步，插膛[①]放之，则彼自立不稳而跌出。盖两足立地，尚有时不能立稳，何况一足。敌若用扫腿，均可前进放劲。

注释

①膛：当作“裆”。后同，不另注。

太极拳之劲

问：太极之劲，略分几种意思？

答：就余所知者，约有粘劲、化劲、提劲、放劲、借劲、截劲、卷劲、入劲、抖擞劲数种。

问：何谓粘劲？

答：粘住敌人之臂，或轻粘之，或重粘之，不使之丢脱，是谓粘劲。

问：何谓化劲？

答：粘住敌人，彼若用力来推，则粘而化之。大概直来之力，用曲线左右引之，使变其方向，是谓化劲。

问：何谓提劲？

答：粘住敌人之臂，彼若用力上翻，则随之上起，使之脚跟提起，是谓提劲。

问：何谓放劲?

答：敌脚跟提起，身不稳时，则随其倾侧之方向而放之，则毫不费力而跌出必远，是谓放劲。《太极拳论》云："蓄劲如张弓，发劲如放箭"[①]，敌提起时，我劲已蓄，随其方向，沉着松净，去如放箭。孙子曰："势如扩弩，节如发机"[②]，即此意也。

注释

① 蓄劲如张弓，发劲如放箭：见诸武禹襄《打手要言》之解曰。

② 势如扩弩，节如发机：见诸《孙子兵法》兵势第五："激水之疾，至于漂石者，势也；鸷鸟之疾，至于毁折者，节也。故善战者，其势险，其节短。势如扩弩，节如发机"。意思是说：湍急的水流，能漂动大石，那是因为水流所形成的巨大的冲击势能；凶悍的猛禽，能一击折毁走兽，那是因为利用了由上而下的冲击力与目标之间的时空节拍。所以，善于作战的人，他能营造锐利的态势，他能掌控稍纵即逝的节拍。锐利的态势，就如同满弓待发的弩；稍纵即逝的节拍，就像搏动弩机的扳机一样。

问：何谓借劲?

答：敌若前推，则借其前推之力而採之。敌若后扯，则借其后扯之力而放之。左右上下皆然。是谓借劲。

问：何谓截劲?

答：敌若用拳来击，不及变化，则用截粘。截劲者，即碰劲也，一碰即跌出，此非功夫深者不能也。

问：何谓捲劲?

答：拳到敌身，如鎚鑽[①]之前进，是谓捲劲。

注 释

① 鎚鑽：鎚，同“锤”，敲打物件的器具。太极拳技法中，握拳谓之锤。鑽，钻也，穿物深入者谓之钻。透如矛矢，钻之弥坚。太极拳之捲劲，即为握拳作捶，转臂捷用，借以将劲势透入彼身。

问：何谓入劲?

答：掌贴敌身，气往下沉，掌一闪动，其劲直入内，五脏震动，必受重伤，是谓入劲。

问：何谓抖擞劲?

答：敌若由背后击来，无暇转身，则身一抖擞，彼必跌出，此则非到神妙之地不能也，是谓抖擞劲[①]。

注 释

① 抖擞劲：田兆麟老师曾有一喻，颇传神：狗嬉耍雪地，起身一激灵，抖落一地雪屑。

问：劲与着有何分别?

答：着，乃变化之法也。劲即运入着之中。着[①]有万，而劲则一。

无论何着，劲是一个，惟用时之意不同，故劲亦随之而变。

注释

① 着：着也，招数。王宗岳《太极拳论》之“由着熟而渐悟懂劲，由懂劲而阶及神明”之着也。千招万式，其劲则一，“惟用时之意不同，故劲亦随之而变”，谓之懂劲也。

问：劲与力有何分别?

答：力是生来本有，劲是功夫练出。生来本有之力，是一种生力，譬如生铁未经煅炼[1]。功夫练出之劲，譬如炼铁而已成钢。古语云：“力不敌功”，功，即练出之劲也。然各种拳派，均是煅炼，而炼出之劲则又不同。太极拳是松散练出，乃柔带刚之真内劲也。凡坚硬练出者，松散无意之时，则劲不存在，被人猛击不免受伤。而松散练出者，松散无意之时，劲仍存留，其气自然充满全身，无丝毫之间断，虽被人击，不致受伤。

注释

① 煅炼：煅，“锻”字之误。今作“锻炼”。

问：圆劲直劲，是分是合?

答：《太极拳论》云：“曲中求直[1]”，圆劲之中，必须有直劲；直劲之中，必须有圆劲。若有圆劲而无直劲，则只能化而不能放；若有直劲而无圆劲，则遇有化劲者，必致落空。故圆直二劲[②]，能融合为一，则善矣。

注 释

① 曲中求直：见诸武禹襄《打手要言》之解曰："曲中求直，蓄而后发。"

② 圆直二劲：可参阅杨式太极拳老拳论三十二目之"太极正功解"："太极者，圆也。无论内外上下左右，不离此圆也。太极者，方也。无论内外上下左右，不离此方也。圆之出入，方之进退，随方就圆之往来也。方为开展，圆为紧凑。方圆规矩之至，其孰能出此以外哉。如此，得心应手，仰高钻坚，神乎其神，见隐显微，明而且明，生生不已，欲罢不能。"

问：硬劲与松劲有何分别？

答：硬劲，自握其劲，百斤之劲，打上人身，不过五十斤，一半仍留在巳[①]身。松劲，譬如丢一石块，务求其远，若有百斤之劲，则全放在人身上，毫不存留于己身。

注 释

① 巳："己"字之误。

问：用截劲有定时否？

答：用截劲，最要时之恰当，差之秒忽[①]，则机会错过。大抵彼劲将发未发，将展未展之时，用截劲最好。

注释

①秒忽：秒，禾芒也，十撮为一秒，以譬时间短暂。忽，如蜘蛛网细者也，十忽为一丝，以喻空间之窄小。

二水按：时机的把握和空间的丈量，始终是太极拳得机得势的灵魂所在。有所为，有所不为，为与不为，一切均取决于秒忽之中机的把握与势的运用。

太极拳之导引及静坐法

问：太极拳与古导引之术同否?

答：古导引熊经鸟申、华佗五禽戏，皆取法于鸟兽，太极，亦有倒辇猴、野马分鬃种种名目。太极拳不外乎虚实开合，虚实开合，即所以调呼吸也。其最妙处，则在全身运动，极匀而缓，动作匀缓，则呼吸自然深长，故息不必调而自调。导引亦不过假形式之开合，以调其呼吸耳。

《易筋经》《八段锦》，乃一枝一节之运动，太极拳则是全体之运动，可使四肢百体，皆平均发育，毫无偏重之处，此所以能却病延年也。

《参同契》为丹书之祖，曰："缓体处空房"[①]，"缓体"二字，最宜注意，即《太极拳论》所谓"松净"[②]是也。盖缓体松净，则气自沉于丹田。故主张用力者，决不能归于自然舒适之境，则不可得太极导引之利益，形式虽是，而意则非矣。

注释

① 缓体处空房：见诸魏伯阳《周易参同契·关键三宝》第二十二："耳目口三宝，闭塞勿发通。真人潜深渊，浮游守规中。旋曲以视听，开阖皆合同。为己之枢辖，动静不竭穷。离气内荣卫，坎乃不用聪。兑合不以谈，希言顺鸿蒙。三者既关键，缓体处空房。委志归虚无，无念以为常。"

② 松净：见诸杨家传抄的《十三势歌》："刻刻留心在腰间，腹内松净气腾然"及《十三势行功心解》："发劲须沉着松净，专主一方，立身须中正安舒，支撑八面"。李亦畲手写本作"松静"。家师慰苍先生在《杨氏太极拳学者修改太极拳经典著作的例证》之四曰："把'静'改成了'净'字，从字义上来说它已含有数量上比较少的意思在里面了。就拿'腹内松净气腾然'来说吧，唯其是腹内放松得干净，内气才有翻腾上升的现象出现，腹内松净得愈干净，内气也就翻腾得愈厉害。但应该指出的是，这种翻腾现象是动的，而不是静的，静了是不会有什么东西可以翻腾的。"

二水按：微明先生所谓"缓体松净，则气自沉于丹田"，其实，太极拳练功日久，缓体松净之后，胸腹了无牵挂，全身就会有腾腾然之感，这也便是家师所谈及的内气翻腾现象。杨式三十二目老拳谱之《太极阴阳颠倒解》云："譬如水入鼎内，而置火之上，鼎中之水，得火以然之，不但水不能下润，藉火气水必有温时。火虽炎上，得鼎以隔之，是为有极之地，不使炎上之火无止息，亦不使润下之水永渗漏。此所谓水火既济之理也"，此亦合《周易参同契》"为己之枢辖，动静不竭穷"之理。徐哲东《太极拳发微》之伏气，将这层橐钥神息之论谈得尤为透彻："伏气之法，枢键在腰，何以言之？以腰肌之弛张，可使膈膜为升降：腰肌张，则膈膜降，而为吸；腰肌弛，则膈膜升，而为呼。将欲息之出入深细，在膈膜之升降与肺之弛张相应……此和顺形气之法也。惟胸肌与腰肌弛张能相调适，则胸腹之间，一阖一闭，自尔和顺……及夫浸习浸和，息之出入，浸敛浸微，遂若外忘其形，而一于气，内忘其气，而合于志。"

问：太极拳之呼吸如何?

答：太极拳之呼吸，随体式之开合：吸为开，呼为合。李亦畬先生云："吸则自然提得起，亦拏得人起；呼则自然沉得下，亦放得人出。"吸本为入气，而反为提；呼本为出气，而反为沉。盖太极呼吸之升沉，实为先天气之消息，故与静坐金丹之诀密合，其所以能却病延年者，由此也。柳华阳《风火经》云："吸降呼升"[①]者，即先天、后天二气之炁[②]也。然后天气吸，则先天炁升焉，升是升于乾，而为採取也；后天气吸[③]，则先天炁降焉，降是降于坤，而为烹练也。若以口鼻一呼一吸，为升降者，则去先天之炁远矣。[④]按其所言，先天炁之升降，与太极拳内中之消息相同。故太极为动中求静，辅佐静功之最要法门。凡认太极拳为武技，专求取胜于人者，岂知此中之玄妙耶。[⑤]

注释

① 吸降呼升：见诸柳华阳《金仙论证·风火经》第六云："风者，乃炼丹之妙法，即升降之消息。古人喻为巽风，或喻为橐钥。是即往来之呼吸也。火者，炼丹之主，化精化炁之具。风火有同用之机，大丹有修炼之法。"

② 先天、后天二气之炁：柳华阳《金仙论证·风火经》第六云："呼吸者，后天之炁也；元炁者，先天之炁也。"

③ 吸：盖"呼"之误。柳华阳《金仙论证·风火经》第六云："后天气呼，则先天炁降焉。降是降于坤而为烹炼也。若以口鼻一呼一吸为升降者，则去先天炁远矣。"

④ 然后天气吸……则去先天之炁远矣：此节文字，皆从柳华阳《金仙论证·风火经》第六中化出。原文为："吸降呼升者，即先天后天二炁之机也。然后天气吸，则先天炁升焉，升是升于乾，而为採取也；后天气呼，则

先天炁降焉，降是降于坤，而为烹炼也。若以口鼻一呼一吸为升降者，则去先天之炁远矣”“乾坤阖辟，阴阳运行之机，一吸则自下而上子升，一呼则自上而下午降，此一息之升降也”“此皆言先天后天二炁消息之机也，乾者，首也，为天，故位居上。坤者，腹也，为地，故位居下。阖辟者，乃内外呼吸之元机。盖外面之气降里面之炁则过我而升，外面之升里面之炁则过我而降，此乃周天之秘机，凡夫岂能知之。”

⑤ 凡认太极拳为武技……岂知此中之玄妙耶：凡是只将太极拳当作是一门武技的那些人，他们专门追求以太极拳技法如何去取胜于人，他们这些人，怎么能知道拳技进乎道学的奥妙所在呢?

二水按：杨式太极拳老拳谱三十二目“口授张三丰老师之言”云：“前辈大成文武圣神，授人以体育修身，进之不以武事修身。传之至予，得之手舞足蹈之采战，借其身之阴，以补助身之阳……如此者，是男子之身，皆属阴，而采自身之阴，战己身之女，不如两男之阴阳对待，修身速也。予及此，传于武事，然不可以末技视。依然体育之学，修身之道，性命之功，圣神之境也”，太极拳作为自我人格修炼，在“至于用力之久，而一旦豁然贯通”之后，所能逐一进阶的“希贤希圣”“曰睿曰智”“乃圣乃神”“尽性立命”“穷神达化”的功效，而绝非仅仅只是武技之末技，也绝非只是健身之体操，更绝非只是老年人的摸鱼切瓜游戏。

太极拳独特的推手训练，两人相对，四手相待，互相以粘黏连随，去知觉相阴阳之气的消长变化，或主动或被动，不偏不倚，不将不迎地去处理其间劲力意气的变化，克服顶匾丢抗之病，对世事万物的感知觉察能力，由粗入细，逐渐精爽，乃至神明。这种修身方式，较之独自“以一阳，采战全体之阴女”，历经周天七十二候，待一阳初生，沿着二十四椎，逆行而上，或羊车，或鹿车，或牛车，日夜不分，天机不动，过三关，经九转的内丹修炼法，更为便捷与高效。老拳谱极具智慧的将推手（对待者数）与行拳走架（流行者气），融合在尽性立命的修身之上（主宰者理），借此以审视太极拳的核心价值之所在，才能真正理解下文：“予及此，传于武事，然不可以末技视。依然体育之学，修身之道，性命之功，圣神之境也”，拳拳之忠，苦口婆心可鉴。

问：取名太极，究系何意？

答：太极本一圆形，为阴阳浑合之一体。太极拳处处求圆满，分阴阳虚实。故以为名。

然此尚是形容其外之体用也，不知人身中间一穴，为立命之处，名为大中极①。大者，太也。此穴，即人身之太极中点。立炉安鼎，坎离交媾，即在此处。太极拳运转先天之炁，凝神入气穴。不久则丹生焉。故太极拳能通小周天之气，较之但枯坐者更为速焉。

注释

① 大中极：王执中《针灸资生经》云：“丹田，一名大中极，言取人身之上下四向最为中也。”

问：练太级拳兼习静坐可否？

答：兼习静坐，自与养生却病更有效益。

惟静坐之功，难得真传，传授不好，往往流弊甚大，不但无益而反有害。如欲兼习静坐，无真传口诀，即照练太极拳之意，跏趺而坐。须有虚灵顶颈，尾闾中正，两目垂帘，两手相握抱脐，收视反听①，回光反照②，谨闭五贼，恐被盗驰。谨于眼，则目不外视，而魂归肝；谨于耳，则耳不外听，而精归肾；谨于口，则兑合不谈，而神归心；谨于鼻，则鼻不外嗅，而魄归肺；谨于意，则用志不分，而意归脾。精神魂魄意，心肝脾肺肾，金木水火土，耳目口鼻意，攒簇各归其根，各复其命，则天心自见，神明自来，必有特别感觉发现，而自与凡人不同矣。③

注释

① 收视反听：不看不听外界声色，形容专心致志，心不旁骛。见诸陆机《文赋》："其始也，皆收视反听，耽思傍讯。"

二水按：古代养生术中有"内视反听"说，讲的是轻闭眼帘，不看外界之物，眼睛微微朝眼底内视，似有能看透自己眼底，甚至看透头颅、胸腹腔之意。之后，将耳尖竖起，耳垂下坠，凝神息虑，耳朵似听不到外界嘈杂之声，而两耳廓仿佛是能接收来自自己内心所有信息的卫星接收器。嵇康《答难养生论》："若比之于内视反听，爱气啬精，明白四达，而无执无为，遗世坐忘，以宝性全真，吾所不能同也。"葛洪《抱朴子·论仙》云："学仙之法，欲得恬愉淡泊，涤除嗜欲，内视反听，尸居无心。"

② 回光反照：也作"回光返照"。指太阳落在地平线下后，因反射作用而显示短暂日落镜像。以喻人临死前短暂的精神兴奋，微明先生不泥文执象，以回光反照，以求身中之日月晦朔，借此以喻人的自我省察。延寿禅师《宗镜录》卷四十四云："遂使初心学者，信有所归，便能息外驰求，回光反照，顿见自己，了了明心，如正饮醍醐，亲开宝藏，方悟随言之失，深惭背己之愆。"

③ 谨闭五贼……而自与凡人不同矣：由丘处机《大丹直指·论回光调息》一节文字化出。原文云："是工用久，心内自悟，五贼先去。五贼，乃眼耳鼻口意。眼不外视而内照，则魂在肝，而不从眼漏；耳不闻声而返听，则精在肾，而不从耳漏；鼻不嗅味而调息，则魄在肺，而不从鼻漏；口不开言而塞兑，则念在脾，而不从口漏；意不妄想而默守，则神在心，而不

从意漏。如此精神魂魄意，攒簇在坤位，则独修无漏矣。”微明先生在引用时，将“口不开言而塞兑，则念在脾，而不从口漏；意不妄想而默守，则神在心，而不从意漏”，倒作了“谨于口，则兑合不谈，而神归心”“谨于意，则用志不分，而意归脾”。

柳华阳注重风火，火者，神也；风者，先天之呼吸也。何以能练神化气？如水，必赖火烹而后发为蒸汽，精者，水也，若用神火下照，则精自可化而为气矣。神火下照，有时恐力不足，故鼓巽风以动之，则火必旺，亦由铸金者之鼓，其风箱也。[①] 太极拳之能调呼吸，即风火之用也。如蒸汽机，借火力以烹水，发为蒸汽，而数万吨之重量，可以鼓动。而人身之精气神三宝，若能保守煅炼，其神通亦不可思议矣。

注 释

① 柳华阳注重风火……其风箱也：从柳华阳《金仙论证·风火经》第六：“风者，乃炼丹之妙法，即升降之消息。古人喻为巽风，或喻为橐钥，即往来之呼吸也。火者，炼丹之主，化精化炁之具。风火有同用之机，大丹有修炼之法”句化出。橐钥，古代冶炼时用以鼓风吹火的装置，犹今之风箱。

二水按：人直立行走，区别于四肢爬行的动物，命门所处的“七节之旁，两肾之间”，在人成年之后，通常是处在凹陷的状态。只有通过“含胸拔背”“收腹敛臀”，才能将命门处，原本凹陷的位置凸显出来。通过呼吸的配合，人在吸气时，“拔背”与“敛臀”，旨在将大椎上下对拉，节节拔长。与此同时，通过“含胸”与“收腹”，随着吸气肌（膈肌与肋间外肌）收缩，胸膈隆起的中心下移，从而增大胸腔的上下径，使得胸腔和肺容积增大。而呼气时，只是由膈肌和肋间外肌舒张的结果，肺依靠本身的回缩力量，而得以回位，并牵引胸廓缩小，恢复吸气开始的位置。一吸一呼，一卷一放，一蓄一发，一合一开，一入一出，随着命门所处位置的上下向、左右向的一张一弛，完成了对于“心火”“肾水”的一降一伏。杨式老拳论三十二目“太极文武解”云：“夫文武尤有火候之谓，在放卷得其时中，体育之本也；文武使于对待之际，在蓄发适当其可者，武事之根也”，此谓阴阳颠倒之理。“太极阴阳颠倒解”更为详实地描述了“降龙伏虎”的过程：“如火炎上，水润下者，水能使火在下，而用水在上，则为颠倒。然非有法治之，则不得矣。譬如水入鼎内，而置火之上，鼎中之水，得火以燃之，不但水不能下润，藉火气，水必有温时。火虽炎上，得鼎以隔之，是为有极之地，不使炎上之火无止息，亦不使润下之水永渗漏。此所为水火既济之理也，颠倒之理也。”《性命圭旨》的“火候崇正图”注：“真橐钥，真鼎炉，无中有，有中无，火候足，莫伤丹，天地灵，造化悭。”丘处机云：“真火者，我之神也。而与天地之神，虚空之神，同其神也。真候者，我之息也。而与天地之息，虚空之息，同其息也。”

吸气时腰背拔伸而不变形，而胸腹内陷，呼气时复原，此时的一吸一呼，犹如一只一半由竹片木板、一半由牛皮制成的风箱，“天地之间，其犹橐龠乎？虚而不屈，动而俞出”，人生的小天地，所谓的橐钥，所谓的鼎炉，所谓的火候，所谓的刀圭金丹，无非只是通过调息，锻炼与神往来的魂，与并精出入的魄。聚精会神，火候神息之后，才能让原本随时有可能魂飞魄散的“心”打包，上传在云端，之后，当“身”这台电脑硬件彻底坏了，躯体腐朽之后，新的电脑硬件能够因缘际会，再从云端下载那颗不朽的“心”，这才能与天地、与虚空同神同息了；这才是叔孙豹所谓的“死而不朽”；这才是孟子所谓的冲塞天地的浩然之气；这便是仙道的本体虚空，超出三界；这便是佛学的不垢不净，不生不灭；这才是“执中”“守中”“空中”；这才是太极拳最为崇高的定位。

问：练太极拳可以代静坐否?

答：何尝不可。静坐妄念难除，练太极拳精神贯注，可以毫无妄念，及至心平气静，人我俱忘，境界微妙，身体舒适，难以言语形容，是可谓之入太极三昧。

学太极拳者之体格及成就

问：如何体格，学太极拳最为相宜?

答：无不相宜。惟体格软硬，习之略分难易耳。大概体格瘦者，较为灵活，而厚重则逊之，肥者较为稳厚，而不免于拙滞。各有所长，亦有所短，然若能勤练功夫，其成功一也。

问：练功夫者虽多，而真能成为名手，则不多觏[1]，是何故耶?

答：吾闻之杨澄甫先生云："成为名手，一要传授好；二要肯下功夫；三要体格雄厚而又活泼；四要心精细而能领会。四者俱全，若下十年苦功，未有不成名者也"。

注释

①觏：遇见也。

问：譬如一人有力，一人无力，同时学太极拳，自以有力者优胜?

答：若初学数年之间，尚未懂劲之时，不免有时顶撞，自有力者胜。若懂劲之后，能不丢不顶，而腰腿又灵活，至此之时，则有力者亦未必占便宜也。

问：功夫之深浅，如何评论?

答：自表面观之，二人比手，自有胜负。若精密论断，譬如一人体格雄厚有力，一人体格单弱无力，若此二人比手，雄厚者不能将单弱者打出，则此单弱者之功夫必甚深，应当评为较优也。盖就原人而论，自是强胜于弱。强不胜弱，则强者之功夫，不及弱者明矣。

问：拳有各派，与相诋訾[①]，非真比手，不能断其优劣?

答：虽真比手，亦难评断。盖习甲种拳者，只有三年功夫，而习乙种者，有五六年功夫，而乙胜，此乃甲之功夫不深，非拳派之劣也。若欲精密比较，须选年岁、体格、力量、智慧无不相同之人，同时各学一种拳术，教授者又均是名手，五六年之后，约相比较，如此或可以定拳派之优劣耳。

注释

①与相诋訾："诋訾"亦作"诋訿"，相互毁谤，相互非议。

问：练太极拳宜缓，若表演时，太缓则人厌观，尚不如外家拳之有精神，应如何而能引起观者之兴味?

答：太极拳精神内敛，非真识者不能知，本不宜于表演。盖太问拳①，本为修身练己之功夫，非博人之喝采②也。惟太极拳为最适宜于养生之运动，不能不加以提倡，表演之时，不可太慢。余每见前辈功夫好者，自己练习与表演不甚相同。识是故也。太极拳，二人活步推手，圆转变化，其精彩不下于外家拳之对打，亦可引起观者之兴味。

注释

① 太问拳：盖“太极拳”之误。

② 喝采：亦作“喝彩”。

问：欲成出类拔萃之名手，功夫如何练习？

答：须先有五种心：

一、信仰心。学一种拳术，必须有绝大之信仰，不可稍存怀疑之意。

二、尊重心。既择师而从，须尊重恭敬，不可稍存玩狎之意。

三、有恒心。人而无恒，不可以作巫医，学拳术更非有恒不可。

四、忍耐心。五年不成，期之十年，十年不成，期之二十年，虽资质鲁钝，一时难见功效，若有绝大之忍耐力，未有不成者也。

五、谦逊心。功夫虽小有成就，不可自以为高绝无对手。无论何种拳术，必有其特长之处，皆须虚心研究，然后能知己知彼，而不致因骄以失败矣。

太极拳之效益

问：练太极拳于身体究有效验否?

答：余创办致柔拳社已四载余，入社学者，不下千余人，皆为身体病苦而来者。一年之后，宿疾脱体，精神健旺，颜色光润，无论肺病咯血、胃病不能饮食、遗精、痔疮、头痛、头晕、手足麻木、肺胃气痛，种种沉疴，不胜枚举，练太极拳后，莫不霍然[①]。此本社已见之明效大验也。

注释

① 霍然：病体霍然而愈，有焕然雾除，霍然云消之感。

问：女子宜练太极拳否?

答：女子身体柔顺，练太极拳尤为相宜。本社女子因病来学者，均已健壮。有广东梁璧叠女士，从余学二年，曾作文一篇，录于后，女界[①]不可不注意也。文曰：

吾虽为女子，而体质非弱，惟性好静，终日默坐，专心学问，以为立身处世之本。对于修养健康之道，素不讲求，日积月累，遂觉气不足以举其体，驯至脾失健运[②]，患胃病者垂三四年，日与药炉为伍，视世间如地狱，无复一毫生人乐趣[③]。一二名医告吾曰："此病非药可治，首须节劳，又须稍事于劳，[④] 所谓稍事于劳，盖指体育运动言也。"予是时一笑置之，第念生性好静而不好动，若勉作运动，反增其苦。[⑤] 于是转习画，欲以笔墨点缀花木禽鱼，挥洒烟云山水，为陶冶性情之资。然于病仍不减，于药亦不能为效。计无复之，回念医者曩告吾言，意稍稍动。[⑥] 适湖北陈微明先生，在沪设立致柔拳社，以太极拳教授男女生徒甚众，学者各有所得，有宿疾无不尽去。吾父劝吾入社习拳，吾以太极为理中气，为天道之行健，与调和人身气血之至理相通，乃毅然入社，时丁卯夏六月[⑦]也。习拳法未一月，食量顿增；三月后，体量加重约五之一，向所不能为之事，今皆能之，向以为苦者，而今则以为乐，[⑧] 精神畅遂，体质丰腴，朋友亲戚相见，几不能识，吾亦不知何以收效如此之速也。嗣知太极拳法，浑圆无极，归于一气，本天地造物之通于人身者，[⑨] 复随其机而运用之，使血脉永无凝滞，葆先天之灵明，得后天之长养，正者引之而无尽，邪者格然而不能入。[⑩] 顾太极拳，法取柔，庄子谓："天下至柔，驰骋天下至刚"；老子谓："柔制刚，弱胜强"，天演之理。[⑪] 故能收益一切，不用力，而力自生，不伤气，而气愈足。诸种内家拳术，以太极拳法为最圆满。相传，人得之者，可以轻身而延龄。虽不必尽信，而吾之所得，已如此矣。陈先生尝语予曰："汝之始来，为却病也。继自今，久习勿怠，他日所进，将有不可限量，不可思议者。"夫吾于太极拳法，其所以学之，与其所得之者，固大有感于其中，深恨得先生太晚，又焉敢怠哉。[12]

以上梁女士所述，足见太极拳尤益于女子。惟须有恒心，不浅尝辄止，未有不见效者也。

注释

① 女界：对女性同胞的总称。

② 驯至脾失健运：凡以渐而至，谓之驯。意为："渐渐地导致脾的运化功能失常，面黄肌瘦，消化不良，四肢乏力"。

③ 无复一毫生人乐趣：不再有一丝一毫健康人的生活乐趣。

④ 首须节劳，又须稍事于劳：首先得节制，避免过分疲劳，但又得适度运动，以增强体质。

⑤ 第念生性好静而不好动……反增其苦：只是考虑到平素里生性好静而不好动，倘若勉强运动，反而增加身体不适。

⑥ 计无复之……意稍稍动：再也没有其他计策可用了，回头想起医生之前告诉我的话，让我适度运动，我好静而不好动的心，开始稍稍有所动摇了。

⑦ 丁卯夏六月：1927 年 6 月。

⑧ 向所不能为……而今则以为乐：以前不能做的事情，现在都能做了，以前觉得做起来很辛苦的事情，现在做起来反而觉得很愉悦。

⑨ 嗣知太极拳法……本天地造物之通于人身者：接下来才知道，太极拳法，是浑圆无极，归结为一气。这一气，一灵炯炯，一气氤氲，原本就是天地造物之大太极与人身小太极相映相通的。

⑩ 复随其机而运用之……邪者格然而不能入：这天地与人身相映相通的"气"，之后又随其机缘，加以运用，使得全身脉络畅通，一方面能保持先天的聪明智慧不流失，另一方面还能得到后天的滋养，培本固元。使得正气浩然盛行，引之而无尽，使得邪风荡然无存，格格而不入。

⑪ 顾太极拳……天演之理：回头来看太极拳，选取“柔”作为可供效仿的准则，庄子曾说：“天底下最为柔和的东西，可以驱使天底下最为刚强的东西”；老子也说：“柔能制约刚，弱能胜过强。”这也是大自然的客观规律。

二水按：“天下至柔，驰骋天下至刚”，系出老子《道德经》四十三章：“天下之至柔，驰骋天下之至坚。无有入无间，吾是以知无为之有益”，并非庄子之言。“柔制刚，弱胜强”，系出老子《道德经》第七十八章：“弱之胜强，柔之胜刚，天下莫不知，莫能行”；第三十六章中：“将欲歙之，必固张之。将欲弱之，必固强之。将欲废之，必固兴之。将欲取之，必固与之。是谓微明。柔弱胜刚强。”

⑫ 夫吾于太极拳法……又焉敢怠哉：回头来看我与太极拳的这段缘分，从我之所以来学拳的过往，还是而今太极拳所给予我的所知所得，我的内心种种感想感慨，实在是太多太深，能明确表达的一点就是，我深深感到认识微明先生实在是太晚了，而今，我只有继续努力练习，那么怎敢会有怠慢之心呢。

太极拳之单式练法

问：太极拳既有益于人生如此，则必须求其普及，使人人可学，而出版之太极拳书，又难一览明了，必须如何能使人无师而自习耶？

答：太极拳之运动，均是曲线，相连不断，颇为繁复。余所著之《太极拳术》，叙之非不详，然未学者，欲观书而得之，亦非易事，盖非口传心授不可也。昔许宣平所传之三十七势，均为单式教练，今可取其意，将太极拳中最要之式择出，分式练习，如八段锦等法，无相接连贯之繁，苟叙之清晰，较易按书学习。

今特分为以下十式：

一、太极起式　二、揽雀尾左右揉手　三、左右搂膝拗步　四、十字手　五、左右搌手　六、左右打虎式　七、左右双风贯耳　八、左右野马分鬃　九、左右玉女穿梭　十、左右单鞭下势　十一、左右蹬腿

每式左右运动，共有二十四次，若能练习，则于身体亦有大益，与练全套太极拳无异也。

问：太极拳起势如何练法？

答：身正立，两足平行分开，宽与两肩等，两手下垂（如后第一图）。两手毫不着力，向前向上渐渐提起，提与胸平，手心向下，宽与两肩等（如第二图）。两臂渐渐收屈，两手与腰同时下按，按至两膝处（如第三图）。复渐渐向前向上提起，周而复始。如是者，练习十次。

问：揽雀尾揉手如何练法？

答：第一式：两足分开，作丁字步，右足在前，左足在后，如右足尖向南（以下各式均以向南为准），左足尖则向东南。两足长短之距离，以一直一曲为度，两足宽之距离，以一足之长为度。两手平伸，宽与两肩等，手尖向南（如第四图）。此两手毫不用力，随腰渐渐向右转，转至手尖向西南，此时坐实右腿（如第五图）。再由右如画圆圈，随腰渐渐往左转，转至手尖向东南，此时坐实左腿（如第六图）。两手随腰，复由左向右圆转，周而复始。往右转，则坐右腿，往左转，则坐左腿，如是者十次。

第二式：左足在前，右足在后，左足尖向南，右足尖向西南。两足宽长之距离，均如前式。两手平伸向南如前，随腰渐渐向左转，转至手尖向东南，此时坐实左腿。再由左如画圆圈，渐渐往右转，转至手尖向西南。两手随腰，复由右向左圆转，周而复始。如是者十次，第二式与第一式，惟左右不同，其法均同，故不另作图。

第三式：两足丁字步，右腿坐实在前，左腿伸直在后，如前。右手伸向前，向南，高与眉齐，臂稍屈，肘下垂，手心向上向内，手指斜向上，向东南。左手心正对右脉门处，约二寸许，手指向上（如第七图）。右手与左手，随腰往右圆转，右手心随转向下，左手心随转向上，右手在上，左手在下（如第八图）。与腰同时往回收，至全身坐在左腿，两手随往后、往上转动，转至左肩处，左手心向前，手指向上，右手心向内，手指斜向上（如第九图）。两手复随腰前进，坐实右腿，转至原处不停，复随腰往右圆转，周而复始，如是者十次。

第四式：两足丁字步，左腿坐实，在前。右腿伸直在后，如前。左手伸向前，向南，高与眉齐，臂稍屈，肘下垂，手心向上、向内，手指斜向上，向西南，右手心正对左脉门处，约二寸许，手指向上。左手与右手随腰往左圆转，左手心随转向下，右手心随转向上，左手在上，右手在下，与腰同时往回收，至全身坐在右腿。两手随往后、往上转动，转至右肩处，右手心向前，手指向上，左手心向内，手指斜向上。两手复随腰前进，坐实左腿，转至原处，不停，复随腰往左圆转，周而复始，如是者十次。与前法同，不另作图。

第五式：右腿坐实，在前。左腿伸直在后，如前。两手伸出，宽与肩等，手尖向上，手心向前（如第十图）。两手向上松起，使手尖向前，手心向下。随腰往后松，至坐实在左腿（如第十一图）。两手复往前按出，两手不可太过膝，复往上松，周而复始。如是者十次。

第六式：左腿坐实在前，右腿伸值在后。两手之随腰前进、后退，均如第五式，不另作图。

问：搂膝拗步如何练法?

答：第一式：左腿坐实在前，右腿伸直在后，作丁字步，如前。右手伸出，正对前胸，手指向上，手心向前。左手在左膝外，手指向前，手心向下（如第十二图）。右手心渐渐翻转向上，往下转动，复随腰往后转，渐渐坐实右腿。此时右手尖向下垂，左手同时往上起，起至胸前。复随腰由胸前往右，转至右肩前，此时右手已渐圆转而上。至坐实左腿时，左手渐渐往下转至胸下腹上之处，右手此时由后渐渐转至右耳边（如第十三图）。复随腰往前，按至当胸原处，左手亦同时随腰往下搂，仍至左膝外，眼神随右手转动，周而复始，如是者十次。

第二式：右腿坐实在前，左腿伸直在后。左手伸出，正对前胸，手指向上，手心向前。右手在右膝外，手指向前，手心向下。左手同前式之右手，右手同前式之左手，随腰转动，周而复始，如是者十次。均如前法，不另作图。

问：十字手练法?

答：身正立，两足平行分开，两手相交作斜十字形，正当胸（如第十四图）前。两手向上、向左右分开，分至与两肩平时，随腰下坐（如第十五图）。两手复由左右向内渐渐相合，随腰上起，起至胸前仍作斜十字，两手如同画一大圆圈，随腰上下，周而复始，如是者十次。

问：抎手练法?

答：两腿作平行线分开，约距离两足半之谱。两手先平分，与肩成为一字，手心向下（如第十五图）。右手随腰往下、往左圆转，渐渐转至手心向上，转至左肩前，手心渐转向内，坐实左腿，此时左手不动（如第十六图）。左手亦随腰往下、往右圆转，渐渐转至手心向上，转至右肩前，手心渐转向内，坐实右腿。先坐实左腿之时，左手转动，右手同时随腰复往右转，随转手心，随转向下，与肩成为"一"字（如第十七图）。坐实右腿之时，左手转至右肩，亦不停。同时随腰复往左转，随转手心，随转向下，与肩成为"一"字。此时右手复转至左肩处，坐实左腿（如第十六图）。两手随腰一往一来，圆转如轮。右手至左肩处，眼神随右手转，左手至右肩处，眼神随左手转，周而复始，如是者十次。

问：左右打虎式练法？

答：两足分开，作平行线，如抎手式。先坐实右腿，右手伸直与右肩成一"一"字，手心向下。左手屈在右肩处，手心亦向下。两手随腰往下、往左转，左手由左复向上转，转一大圆圈，转至额上，握拳，手心向外。右手转至胸前，握拳，手心向内，两拳虎口相对，此时坐实左腿（如第十八图）。两手转动时，眼神随左手转动，左拳复向左、向下转，转至与左肩成为"一"字。复随腰向下、向右圆转，转至胸前，手心向内。右拳随左拳同时向左、向下，复转而向右、向上，转一大圆圈，转至额上，手心向外，两手虎口相对（如第十九图）。眼神随右拳转动，两拳左右旋转，一往一来，如是者十次。

问：左右双风贯耳练法？

答：右足在前，左足在后，作丁字步，先坐实左腿。两手相交在左[①]膝上，手心向上（如第二十图）。两手向下，左右分开，开至与两肩成为"一"字时，复向前转，渐转渐合，合至额前，握拳，手心向外。两拳相对距离约二寸许，腰亦同时前进，至坐实右腿，稍停（如第二十一图）。两拳复松开为掌，变至手心向上，复向下，左右分开如前状。腰同时向后坐，至左腿坐实。两手复向前相合，至坐实右腿，如是者十次。若左足在前，右足在后，亦同前法。

注释

① 左：原文为“左”，但与第二十图不符。

问：野马分鬃练法?

答：两足作平行线分开，如扫手式。单式练习，步法不能不变通。若身向南，先坐实左腿，两手相合，在左膝上。右手在下，手心向上，手尖向东南。左手在上，手心向下，手尖向西南。两手如抱球状（如第二十二图）。两手渐渐分开，右手斜向上、向西南分去，手心仍向上，手尖渐转向西南。左手斜向下、向东北分去，手心仍向下，手尖渐转向东南。腰随两手分时，渐渐移右，坐实右腿，眼神随右手向西南，稍停（如第二十三图）。右手心本向上，渐渐往回收，转至向下，手尖渐转至向东南。左手心本向下，渐渐往右转，转至向上，手尖渐转至向西南，与右手相合，右手在上，左手在下，两手如抱球状，在右膝上。两手渐渐分开，左手斜向上，向西南分去，手心仍向上，手尖渐转向东南。右手斜向下，向西北分去，手心仍向下，手尖渐转向西南。腰随两手分时，渐渐移左，坐实左腿，眼神随左手向东南，稍停，法如前，不另作图。如是者，往复十次。

问：玉女穿梭练法?

答：右足在前，向南，左足在后，作丁字步，先坐实左腿。左手在上，手心向下，右手在下，手心向上，两手相合，在左膝上（如第二十四图）。右手渐渐向上向前转，转至额上，手心向外，手尖向东南。左手同时向前按出，略与胸齐，手心向外，手尖向上。两手动时，腰亦同时向前进，至右腿坐实，稍停（如第二十五图）。右手随腰向右略转，转至手心向下，左手同时亦略向右转，转至手心向上，右手在上，左手在下，相对（如前第八图）。随腰往回收，随收随转，转至右手仍在下，左手仍在上，两手相合，坐实左腿，与前起式同。复往前进，如是者十次。如左足在前，右足在后，则先坐实右腿，两手相合，在右膝上，一切均如前法，惟左右手上下交换耳。

问：左右单鞭下势练法？

答：左腿坐实，右腿伸直，两足宽之距离约一足长。左手伸出，手心向前，手尖向上，与左足尖同一方向。左臂略屈，肘正对膝，不可太伸直。右臂向后伸直，五指下垂，与右腿同一方向。眼神看左手，作单鞭式（如第二十六图）。身随腰渐渐收回，往下坐在右腿上，愈低愈好，低至左腿伸直。身不可太俯，头仍要有顶劲。左手随腰向回收，收至右肩处，转而向下，至左膝处（如第二十七图）。复随腰向上起，起至与眉齐，手心仍向外。右手同时随腰向下、向左转一圆圈，向上转至左肩（如第二十八图）。左手又复随腰向回收，转而向下，右手复向右转，至伸直如前。两手随腰上下，如轮圆转，如是者十次。右足在前，左足在后，作单鞭势，均如前法。

问：左右蹬腿练法？

答：先正立，作十字手式，向南。两手略向上，渐渐分开，如半月形，右手向西，左手向东。分开之后，两手指均向上，右腿同时提起，向西蹬出（如第二十九图）。右腿收回，右手由右往左，与左手手心相对，左手略在上，右手略在下。同时随腰由左往右、往下圆转，右足同时随腰、随两手，往西迈步坐实，两手由下圆转，往上相合，作十字。两手同时分开，左手向东，右手向西。左腿提起，向东蹬出（如第三十图）。左手复由左往右，与右手手心相对，右手略在上，左手略在下，同时随腰由右往左往下圆转。左足同时随腰随两手往东迈步坐实，两手由下圆转，往上相合，作十字。两手复分开，左足蹬出。如是者十次。

第一图

第二图

第三图

第四图

第五图

第六图

第七图

第八图

第九图

第十图

第十一图

第十二图

第十三图

第十四图

第十五图

第十六图

第十七图

第十八图

第十九图

第二十图

第二十一图

第二十二图

第二十三图

第二十四图

第二十五图

第二十六图

第二十七图

第二十八图

第二十九图

第三十图

致柔拳社社员姓名录

王鼎元	薛晋雄	岑　巍	秦鉴本	孙洁人[1]	严敬慎	王传熚
李刚侠	萧国树	沈彭生	胡镜庸	倪国才	王啸渔	孙亿年
杨成才	施汉章	王立才	李衍善	邱成瑜	朱隽鹿	郭俊民
郭俊錤	郭俊鉌	王汉礼	许颐斋	戴桐原	韩思民	许云翔
杨宪臣	王侣樵	潘志杰	冯之沛	秦曙声	董铁峰	翁受宜
李秉法	胡福良	胡敬侃	孙莘农[2]	孙亿中	周锡蒸	陆海藩
林祖庭	郑志仁	孙乃騄	朱企贤	管　峻	王俞钦	沈成基
陈维东	蔡汝铣	李树德	叶慎斋	李　仑	顾　明	洪　遹
赵敌七[3]	杨成才	王野石	顾禔明	黄友兰	李剑云	茅耀庭
李衡三	翁壮明	李志超	金性初	钱铁镆	祁福卿	潘鼎新
程志祥	景湘坡	孙雪桥	毛汝霖	李镜清	徐日宣	顾懋予
李圆虚[4]	张景履	梁钧畴	潘志莹	关耕逸	陈子清	阮鉴光
严新侬	杨佑初	谢利恒	杨履初	周椒青	金润庠[5]	韦伯兴
吴元松	雀文澜	唐庸褚	孙闻远	郑子松	何树芬	罗麟生
徐巨川	刘玉书	顾赏之	钱慈严[6]	金德本	田豫铎	陈润身

陈铎民[7]	马立顺	彭定保	陈荣广	赵南公	叶乐康	吴甄士
刘斌杰	陈汤生	胡纯一	胡纯如	茅锡荣	杜恩湛	杜跛予
江卧云	王　灿	胡朴安[8]	钱旭耕	钱旭林女士		钱景渊
陈文翰	谢映斋	董惠民	郭鸣九	周作孚	金宝坤	蒋仁山
蒋仁滐	何国衡	陈彭林	任德臣	李丹霞	吴印滋	王槐卿
者雨舟	秦运尧	薛松隐	李廷书	夏其昌	翁菊生	金静觉
赵任甫	姚乃勷	管义正	何汉文	胡立勋	孙麟书	李维格
邓根廉	胡少堂	孙莘农[2]	殷懋超	乐楣荣	朱尊一[9]	吴　荣
朱小珊	苏祖齐	叶去非	唐　昌	王绍鏊	朱永昌	王辅世
艾建平	金熙章	孙占伟	谢成芳	蒋咏良	华汝洁	李征甫
翁慕徐	苏云望	季成功	邵菊如	蔡文统	徐可亭	邵守之
吴培松	陈心纯	程在勤	张庆彬	柯箴心[10]	程绍武	冯之沛
洪率范	关德称	陈锦江	林安邦	李石华	高晓山	虞清华
沈廷梁	何瑞国	陈楚宝	金守言	钱振昌	严赓尧	余朗如
管止卿	周子南	居仲贤	朱曾沛	田德润	余钧甫	项耀辰
冯国栋	张家桢	陈德澄	谭保传	凌子大	乔隐伟	陈慕寿
丁锡藩	尹松樵	施玉声	俞兆麟	关树荣	翁若水	吴季篪
张愚诚	胡书城	胡筱初	王望曾	郑守明	何正肇	熊礼方
刘春蕃	刘世煦	陈恩池	宋远甫	刘次璧	黄致平	印润玉
但怒刚	张亚光	朱觉卿	程鸿轩	程绍武	郑执安	刘亚休
颜守朴	吴志清	徐福民	胡以文	张仲孝	张庆彬	庄成季
张仲宾	程筱筠	黄志清	朱蕙堂	叶礼卿	俞隽琴	茅四圆
郑耕莘	陈虎章	黄绍文	汤震龙	沈浚文	翁乐之	唐瑞东
顾省吾	顾赏之	王辅世	王为彰	步文白	郑仲棠	钟文标

胡可铮　盛效贤　周烈勋　张　鹤　王道衡　邱泉韵　蔡静耐

龚芝洲　杨也乔　陈器成　胡若范　邵柳门　程苏门　徐白良

戴景虞　刘亚休夫人　倪征环女士　江曼云女士　郑树人

潘南仲　卢太育　徐月庭　陆象霆　王理卿　吴君飞　席念椿

李少川　吴李履　胡允昌　陈仲鲁　吴百祥　宣金声　钱同人

喻华韡　沈增奎　徐雪尘　王继先　刘宝琪　王步贤　刘筠青

唐云旌　邹君斐　吴志和　叶宗泰　王景宋　徐少平　王孟年

刘延顺　倪观格　蔡和璋　林泮芹　刘　竞　朱少屏　徐景之

毕子陛　宗藻生　邱季才　张赓麟　王卓文　黄居素[11]　玉学然

周志青　唐永清　王尊川　丁健行[12]　丁观闻　王介寿　王炳甫

王次芳　吴云倬[13]　刘志新　顾　兴[14]　张士德　张岱岑　邓荣惠

胡　洁　徐　炎　王传煊　朱幼兰　朱纶仙　沈丹忱　张天罡

余新述　陆静之　方宽荣　刘泉孙　朱耐根　钱勉醒　关　琎

黄海山　王念劬　江笑山　傅谷如　周烈庆　吴夏峰　侯叔达

徐文甫[15]　张仁虞　丁讯康[16]　马文彬　董敬庄　李叔献　文　牧

文　孜　郁敬德　杜秋声　王元度　朱继声　宋醉陶　石之岷

应孟仙　徐和卿　谢　健　陈锦山　方宏祥　徐利民　林植蔼

赵炉青　顾康年　何文卿　陈文焕　王兆庆　沈支石　赵钟鸣

窦毓和　墨　禅　李筱山　窦毓鼎　窦海澄　郑麟同　王子骞

高士光　应毓刚　周玉琦　王积中　宋汪洋　曾宪民　颜德基

许炳华　李景陈　李效宋　杨俊生　钱祥标　陈维南　陈道纯

陈宪和　孙济武　张启瑞　曾培棨　曾培德　殷慎伯　吴景妙

张渐陆　窦海渟　李钜元　李吉孙　潘志杰　朱斌侯　金祖同

吴君宪　狄兆然　邵　虎　叶德昭　史季方　李一午　廖世颖

赵寿臣　徐梅卿　朱星江　薛福田　赵祥卿　彭咏樵　费南瑾
傅介眉　陈　宁　张子美　曹颂章　范汉杰　陈彰玎　周镜珊
周养溪　华南山　蒋五昌　濮清怀　涂淳甫　吴树屏　沈孝庆
王文成　张励存　陈福耕　王葵庵　方剑隐　冯祥荪　朱珅琮
吴少乙　严怀仁　王耐之　应厚伦　秦祥生　朱文熊　李伯龙
聂含章　潘乐山　应孟仙　章镜秋　施衍林　孙焯方　陈隆璐
陈文玮　李健良　陈光裕　田子伟　只瑞庭　邱弁容　谢雁臣
李祖端　李祖白　李祖冰　李祖眠　李祖定[17]　李祖农　祝志邨
吴昆生　黄志彭　谢伯辅　程海涵　盛吉祥　浦志达　张盛远
高荫嘉　章秉嘉　孙贻德　容雨亭　陈汉清　陆书城
梁璧叠女士　梁有烈　李健鎏　吴中一　吴志雄　张崇德
林锡泉　吴宗澄　朱纶仙　杨咏篪　利学文　邵　圭　谭励厂
吴淮昌　何焯良　杨达平　何国良　潘恩甫　林安邦　何惠庶
何赐礼　张国威　朱蕙堂　徐志千　徐寿复　严炳南　金昌麒
徐荣庆　张尚德　郁志仁　颜箴之　吴宝书　唐振干　卢元琦
徐　斌　刘慎斋　董官奎　吴寿垣　黄银堂　梁础立　梁廷挺
楼文藻　丁煜明　丁梦悟　陈祝龄　张慧僧　穆时英[18]　虞大熙
陆联辉　周修龙　余　克　陈寿龄　张耀青　薛宪章　谢馨斋
顾石甫　陆林孙　蒋文瑞　何子敬　周　飞　罗　延　康家寿
陈嘉芝　黄泽芸　俞祖钦　张睦清　吴健安　郑肖厓　王虎角
郑君平　罗捷文　孙葆康　冯乃培　周企唐　张贯时　顾星桥
胡圣鸣　朱沛源　唐子蔚　方公溥　戎善藩　李金山　陆异若
何俊昌　梁棣佺　陈其昌　孙回风　裘慕侠　蔡家祥　朱让轩
王祖训　朱忠道　江一真　庄智安　江笑逸　王耐芝　顾韫石

顾钦若　又　能　吴翰孙　林鉴英　金养田　金嗣龙　曾子玉
高事恒　吴士行　赵朴初[19]　沈雍谅　王我景　步创夷　徐曜堃
许铸生　张律均　严济宽　王维屏　邵蓉僧　蔡晦渔　刘弢甫
吴涵真　汤靖澜　袁倬汉　袁昭汉　袁云翰　袁珋懿女士
许淑英女士　徐慎斋　周禾书　吴　涵　许持平　倪秀全
余嗣珊　朱蒙山　郭仲远　黄深源　朱坤琮　陈彦衡
倪素心女士　王廉芳　胡天民　张秋平　郑晋良　曾建勋
刘竹怦　祝尧臣　周静溪　李子散　张筱棠　徐素梅　俞心泰
徐宝贤　蒋廷经　葛文祥　王章龙　万競先　万兟先　毛凤祥
邓袭明　李承先　范仲影　陈勤洪　杨载铭　涂淳甫　李右良
徐　侃　夏麟书　叶如舟　叶葱奇　庄智鹤[20]　马世锜　刘玉庵
徐云鹤　曹余望　万册先　黄遵夏　吴伯林　何平普　王宗鳌
徐诚照　熊振涛　李永坚　张祖德　徐福基　陆闲云女士
孙仲舒　吴梦周　万甡先　杨春生　张铭伯　万兹先　龚鉴平
张致远　张海东　孙劲甫　俞轩棠　周寿庭　裴元鼎　金崇光
蒋永麟　武达庆　童石均　周萼辉　沈传麟　宁恒洁　周尚斌
杨万青　胡燮候　巩晋孚　王任伊　张信澄　胡羡翔　沈勖厂
郭焕章　贺人钦　周公伊　王述之　蔡眠云　孙以晨　王自卫
瞿　澄　陈松茂　李永明　汪葆卿　王炳麟　郑冠曾　黄　农
张伯觐　贝树德　胡叔文　孙梅仙　王阮亭　黄静升　涂　鼎
张渔溪　管中一　方克济　方志毅　姚锦熹　吴星民　古昶生
蔡和璋　戚梦觉　向武昌　褚子民　罗君愚　金印辉　丁观闻
李厚德　孙李明　杨凤初　程养恬　任志清　王景涛　张秀岩
杨学诗　程启霞　王炳炜　杨觉人　翟健雄　杨裕雄　江幼南

江少南	夏溪村	诸葛瑞	葛沛昌	席裕虎	王善燮	王溢波
邱孝治	王尹叔	黄省甫	章以冀	朱叔屏	杨坤荣	周道平
姚菊亭	黄健甫	楼浩然	张德康	颜　庭	傅冰如	杨泰华
王辅庆	何维翰	张延孙	涂逊修	王尊川	严鹤泉	卜晓农
徐雪赓	陈文良	吴伯阳	殷震一	陈凤竹	罗澄志	华翔九
陈郎廷	顾振予	乐莲华	朱叔屏	郭伯良	赵仰雄	沈照恩
陈升潮	章兴瑞	董　仪	施济群	陈立蟾	陈嘉宾	杨世昌
裘功懋	徐省吾	顾荫之	应仲琳	李新华女士		郑章斐
甘兆玲	蒋文瑞	陆长华	陆琳宝	顾怡庭	徐世洪	韩荣棠
黄守一	张怀萱	黄颂藆	邱普庆	徐治平	吴英性	谢介子
俞道就	谢公展[21]	黄抱中	朱宏基	王大佛	林志鹏	霍东生
李哀鹤	邵炳生	宋沛道	黄荆塘	孙葆康	陈彭龄	阮宾华
陆林孙	金兴章	毛　璞	徐泽予	金礼楷	陈　琦	张威远
陈辅之	林安邦	邓志仁	路　伟	路国绵	袁孝根	屠一如
朱铎民	毕星歧	梁洪增	张松年	董栽生	董柏臣[22]	陈丕承
杨廉夫	王雪楼	陈季良	恽尊国	卞芷湘	吴南浦	柳章甫
唐　舜	沈一明	顾省之	徐斌金	郑慎斋	江宗汉	汤漱风
何连芳	王炳炜	严　宓	孙公俊	张延孙	庄缉之	姚鸣鹤
郎堃升	刘文灿	丁呆华	项本侠	沈叔瑜	王夫禄	陆良华
柳哲芝	胡可煋	章亮富	章子英	丁训翔	吴国锋	宋沛道
赵毓将	陈沪生	范善本	吴友文	姚继灏	周惠桐	王舜列
罗　何	柳培之	秦履云	李续川	吴金石铭		林君鹤
柳润水	严岳泉	杨宗端	李少周	冯仰山	徐洪赉	吕薇孙

注释

① 孙洁人（1884—1938 年）：名绍濂，字洁人，江苏吴江人，致柔拳社早期学员。史量才总理《申报》时所聘任的财务总监，主政《申报》财务 27 年。先生为人沉默寡言，老成干练，待人接物，尤和蔼可亲，运筹擘画，调度有方，对《申报》厥功至伟。曾为微明先生《太极拳术》作序，说微明先生“以杨先生口授之太极拳，笔述成书，多所阐发，稿赠杨先生以酬答之。杨先生藏之数年，不以付校梓，余与秦君光昭、王君鼎元、岑君希天闻之，请先生怂恿出之，以传于世。先生书往，杨先生欣然寄稿，并图五十余幅将付刊”。秦君光昭，或即本名单中的秦鉴本，王君鼎元即王鼎元，岑君希天即岑巍，皆时任《申报》职员。

② 孙莘农：名录中，两位孙莘农，或系重复误抄所致，或均另有其人。民国期间，在沪上名号“孙莘农”者多人，其一系无锡籍教学家，另一系温州瑞安籍书法家孙延畛。但无其他资讯能佐证他们与微明先生的关系。存疑之。

③ 赵敌七：上海昆山路 20 号东吴大学第二中学校副校长，英文、数学教授。致柔拳社早期学员，与秦光昭同列致柔拳社第一期两名毕业生名录。1928 年 5 月 24 日《申报》载：“致柔拳社以夏历四月初九日，为武当派张三丰祖师诞辰，又值三周纪念之期，即于是日在七浦路二百八十八号，召集新旧全体社员，并举行庆祝及第一届毕业礼，闻该社社员已达八九百人，大致商学界居多，各为战务所拘，能功不间断者甚少，故此次毕业只秦光昭、赵敌七两君云。”著名报人顾执中，便是赵敌七在东吴大学第二中学校时的学生。1932 年，“一·二八”淞沪抗战期间，赵敌七与友人路经天潼路，遇日军留难盘诘，坚不放行，赵敌七怒，举肱微挥，击打日军，以一敌七，后遂遇害，日军恨甚，以刺刀裂其四肢。赵敌七，人如其名，深得《正气歌》“吾气有一，以一敌七”要义。

④ 李圆虚：广东人，民国著名道尊。与梁海滨（懒禅）、黄邃之（通邃），结为道侣。曾住上海七浦路，悬牌行运气、按摩、不药疗病之术，颇

著神效。淞沪抗战时，回广东，从此杳无仙踪。

⑤金润庠（1890—1961年）：字绅友，宁波镇海人，上海美商德泰洋行、英商光耀桅灯洋行买办，独资开设润丰恒商行。与宁波奉化人竺梅先合作创办了湖州中丰、杭州华丰、嘉兴民丰、上海国丰四家造纸厂，尤其以嘉兴民丰造纸厂的“船牌”卷烟纸，为他赢得了中国近代烟草工业先驱的美誉。

⑥钱慈严（1870—1969年）：钱崇威，字自严、慈严，号崇安、莳年。吴江松陵人。善书，清新秀逸，性豪爽，能饮酒。光绪二十八年（1902年）乡试高中秀才；光绪三十年（1904年）恩科进士；民国元年（1912年），任江苏省高等检察所检察长。未几辞职，居沪养疴，卖文为生，或返故乡以书画自娱。致柔拳社第二届毕业生。为微明先生《太极剑》作序。1954年10月，任江苏省文史馆馆长。1969年，病逝上海，享年99岁。名录中的“钱旭耕、钱旭林女士、钱景渊”皆系其子侄辈人。

⑦陈铎民（1893—1962年）：宁波鄞县人，上海南京路华德钟表行经理。与徐文甫在宁波同乡会传授少林拳、“宁波拳”，一同服膺于微明先生拳艺，与徐文甫同为致柔拳社第四期毕业生。微明先生撰文称其“明达干练，才可大用”。1930年秋，受鄞县警察局局长戚静之邀请，赴宁波传授太极拳、太极长拳、太极剑、武当对剑、太极散手等。1936年5月17日，上海功德林召开杨澄甫老师追悼会，微明先生担任主祭，陈铎民担任司仪。1948年6月24日，与徐文甫一起，陪同微明先生访台湾。后在上海法国花园（现复兴公园）建造了一个凹字形的长亭，成立了“诚社”，在园内教授太极拳。微明先生曾为铎民之父撰墓志铭，称：“铎民曾从余游数年，明达干练，可大用”云。

⑧胡朴安（1878—1947年）：本名有忭，学名韫玉，字仲明、仲民、颂明，号朴安、半边翁。以号行世。安徽泾县人。训诂学家、南社诗人。家学渊源，涉猎广博。早年参加同盟会。1926年，出任《民国日报》社社长，1930年，又应叶楚伧之邀，出任江苏省民政厅长之职，次年自认乏能辞职返沪，任教于大夏、复旦、东吴、暨南、上海、持志等大学。1937年，抗

战爆发后，任上海《正论社》社长。上海沦陷后，杜门著述。1940 年 4 月，患脑溢血，病废家居，撰《病废闭门记》《六十年以前的我》。抗战后，《民国日报》在沪复刊，他受任馆长，并继任上海通志馆馆长，后任文献委员会主任。著述《中国训诂学史》《俗语典》《中华全国风俗志》等。入致柔拳社，与钱崇威同为第二期毕业生。《病废闭门记》记录拳学过程甚详。

⑨ 朱尊一（1891—1971 年）：又名贯成。安徽泾县人。入上海神州大学攻读经济，聘任上海女子中学、建国中学和私立国民大学任教。此时参加新南社，入致柔拳社学拳。1936 年秋，回泾县黄田村，任私立培风中学校长。抗日战争胜利后，出任泾县简易师范学校校长，同时担任泾县文献委员会主任委员。1949 年后，任泾县中学校长。书法先后得到舅父胡壁成及黄宾虹、吴昌硕等名家点拨，擅长篆隶，尤精篆刻。

⑩ 柯箴心：名成懋，平湖人，与竺可桢、胡适等同为第二批庚子赔款留学生，入密歇根大学、哥伦比亚大学，曾任国立暨南学校校长。

⑪ 黄居素（1897—1986 年）：广东嘉应州人，早年创办《岐光报》，经人介绍，任陈炯明书记，追随孙中山，任农民部长，及粤军总司令部政治部主任。陈炯明与孙中山先生分裂后，居素向吴稚晖介议陈孙复合，并为此事多次出力奔走。后受知于廖仲凯先生，任香山县县长。中山先生逝世，香山县改为中山模范县，直隶南京国民政府，出任首任县长，同期，任南京农民部长及立法院首届立法委员。1927 至 1928 年间，从熊十力及吕秋逸学佛，随黄宾虹学习山水画，并从黄宾虹、邓秋枚处接办上海神州国光社，成为该社主办人之一，出版发行杨澄甫《太极拳使用法》，并封面题签。1955 年到北京，被聘为中央文史馆馆员，并成为国画研究会会员，后定居香港。

⑫ 丁健行：又名丁方镇，别署知止居士，宁波镇海人，朵云轩创始人，宝大祥老板。擅书画、诗文。老而好学，虽溷迹，而不废读。壮岁即著《知止居士画史》《墨林挹秀》行世，于诗文书画，无所不窥。经商余暇，偶作小品，清新婉妙，人争宝之。丁讯康，其季子夜。

⑬ 吴云倬：顾留馨的中学同学，早年从刘震南学六合拳，与顾留馨一

起入致柔拳社学杨氏太极拳，复从徐致一学吴式太极拳；从四川南充人林济群学松溪内家拳；后改从武汇川学习杨氏太极拳。1934 年，开始在上海复旦大学高中部等传授太极拳，张义尚等从其学。1950 年后，在上海中山公园教拳，弟子有饶少平等。

⑭ 顾兴（1908—1990 年）：又名顾刘兴，毕业于上海南洋高级商业学校、上海文治大学国文系。接受大学同学白寿彝建议，改称“顾留馨”，上海赵家桥人。自幼习武，11 岁入私塾时，课余从崔姓教师学南拳；15 岁从保定宫荫轩习金刚腿、八方刀、骑枪、棍术等；18 岁入中华国技传习所，从刘震南习六合拳；1927 年后，与吴云倬一起，入致柔拳社学习太极拳；入精武体育会，从徐致一、吴鉴泉等学吴式太极拳；入汇川太极拳社，从武汇川学杨式太极拳；还从林济群学松溪内家拳套路及枪、棍、剑套路等；向傅彩轩学拦学门。“九·一八”后，与唐豪发起组织“上海国术界抗日救国会”，其间向唐豪学习日本劈刺术。受“七君子”案牵连，与陶行知、任崇高、张仲勉、陈卓、罗青、陈道弘等七人（史称“小七君子”）遭起诉，拘押于苏州监狱，后经唐豪辩护始获释。1950 年 6 月，任上海市黄浦区区长。1952 年，调任上海市工商局、商业局工作。1955 年，唐豪调任国家体委任顾问后，受唐豪的影响和鼓励，专心于太极拳史料发掘、整理工作。1957 年，受国家体委之托，赴越南向胡志明传授太极拳。之后多次受邀到中南海、北戴河、广州等地给中央领导人及其亲属教拳，从学者有江青、叶剑英、邓颖超等。1958 年，自请调往市体委，任市体育宫主任，并开设太极拳、形意拳、八卦拳、少林拳等 13 个学习班，开办各拳种讲演会，举办武术表演会，创办公园武术小组，以广传习。对上海市武术集训队则聘请名师传授，从中培养了许多武术人才。1977 年、1980 年先后二次东渡日本讲学。先后撰写《简化太极拳》《怎样练习简化太极拳》《陈式太极拳》（与沈家桢合著）《太极拳研究》（与唐豪合著）《怎样练习太极拳》《太极拳术》《炮锤》《精简杨式太极拳》等。

⑮ 徐文甫（1884—1950 年）：宁波鄞县人，著名实业家、武术家。著《我

与国技》一文称："予武夫也"，入私塾，读四书五经，"过目即忘，惟闻尚武任侠之说，则此心即跃跃欲试，似我已为武者侠者之第二"云。自幼随乡人习拳，1907 年入绍兴大通学堂，习武技。南下福建，拜谢谒生为师，攻学洪拳、五形拳及少林三进、梅花、香店、八步连环、四门刀、梅花刀等。1922 年，宁波旅沪同乡会迁至西藏中路 480 号五层新大楼，徐文甫与陈铎民协助同乡会，组建"武术科"，并于新大楼的四楼，创办了宁波旅沪同乡会"少林武馆"，徐文甫亲任国术教练。1928 年，与陈铎民入致柔拳社，同为致柔拳社第四期毕业生。1928 年 4 月 30 日，致柔拳社借宁波同乡会开欢迎会迎孙禄堂来沪，徐文甫、陈铎民对练"宁波拳"。1930 年 5 月，徐文甫偕陈铎民，为中央军编"七煞枪法"，助中央军破敌。"九·一八"后，担任上海市民义勇军国术教练，从一千余人中，挑选二百名善勇善战者，组建"上海市民义勇军大刀队"。应谢镜湖、周敏益之邀，1948 年 6 月 24 日，与陈铎民一起，陪同陈微明先生抵达台湾，为台湾公众表演了少林拳、太极刀、双刀，与陈铎民表演推手。其为人豁达侠义，对微明先生也多有薪助，微明先生有诗赞曰："赖有社友分薪米，解囊慷慨情意深。艰难豁达肝胆露，岂但衔戢铭诸心"。微明先生《徐文甫六十寿言》云："徐君文甫，魁杰人也。以铁冶起家，致富设厂于上海，逐时居积，岁可获数十钜万。身伟力强，以精少林拳技，授徒有名""从余学，遂擅于内外两家。性亢直，无虚伪"。

⑯ 丁讯康（1919—1939 年）：原名祥华，后改翔华。字训康，号吉金、乐石，别署蜗牛居士，室名蜗庐、吉金乐石室。宁波镇海人，为丁健行季子。承家学，石书画，诗文拳剑，寝馈积学，年未及冠，名著艺苑。造物异才，华年而殁，留存《蜗牛居士全集》。赵敌七离世后，撰《赵敌七传》。

⑰ 李祖定：陈微明的女婿，陈邦琴的丈夫。致柔拳社初创于福煦路民厚里六百零八号，三个月后，入社的人越来越多，原址不敷应用，遂于 1925 年 7 月 20 日，迁址至新闸路李诵清堂路二百二十五号。1926 年 3 月，为适应各界女士学拳之需，特在山西路二二五号及西武昌路十四号设立女子

体育师范班。李诵清堂路，即今上海陕西北路、江宁路、西康路、新闸路、武定路、安远路、长寿路附近60亩地产，系当年沪上宁波商人“小港李氏”第三代，李云书所购置的地产，故其路以其个人名号命名。名录中“李祖端、李祖白、李祖冰、李祖眠、李祖定、李祖农”，都是沪上“小港李氏”第四代族人。

⑱ 穆时英（1912—1940年）：浙江慈溪人，小说家。笔名有伐扬、匿名子。与刘呐鸥、施蛰存等，成为新感觉派代表人物。被誉为“中国新感觉派圣手”。出版《南北极》《公墓》《白金的女体塑像》《圣处女的感情》等。1939年，出任汪伪政府《国民新闻》社长。1940年6月遭国民党“锄奸”组织射杀。

⑲ 赵朴初（1907—2000年）：佛教界领袖，书法家，社会活动家。安徽太湖县人，早年求学于苏州东吴大学，来沪后入住表舅关絅之家，受关絅之影响，研究佛学，入致柔拳社。取陈微明侄女陈邦织为妻。1938年后，任上海文化界救亡协会理事，中国佛教协会秘书、主任秘书，上海慈联救济战区难民委员会常委兼收容股主任，上海净业流浪儿童教养院副院长，上海少年村村长。1949年任上海临时联合救济委员会总干事，中国人民保卫世界和平委员会常委、副主席，亚非团结委员会常委。1980年后，任中国佛教协会会长，中国佛学院院长，中国藏语系高级佛学院顾问，中国宗教和平委员会主席。

⑳ 庄智鹤：上海亨得利钟表总店的经理。1955年公私合营后，任命为中国钟表公司上海分公司资方经理。1972年移民美国，住纽约。后面名单中徐诚照等，系亨得利高层职员。

㉑ 谢公展（1885—1940年）：名寿，一作翥，以字行，丹徒（今镇江）人。历任南京美术专科学校、上海务本中学、上海美术专科学校、新华艺术专科学校、暨南大学国画科学教授。善花鸟鱼虫，尤工画菊，人称“谢家菊”。名录中谢介子（1898—1930年），系其弟。善书画。

㉒ 董柏臣：杭州大华饭店经理。后从田兆麟老师学拳。

出外教授姓名录

关絅之[1] 王一亭[2] 徐冠南[3] 聂云台[4] 沈星叔[5] 江味农[6] 李云书[7]

赵云韶[8] 谢泗亭[9] 向恺然[10] 唐仲南 周　陵 黄咏秋 姚星南

申　榕 马子宜 马毅伯 刘佩萸 顾联承[11] 伍梯云[12] 谢慧生[13]

邹海滨[14] 余伯陶[15] 黄太玄[16] 钱瘦铁[17] 谭景韩 李木公[18] 李蜚君

李骏孙 李竺孙 李榴孙 陆稼荪 陆振宗 陆亢宗 陆　钿

任尚武[19] 袁仲齐 杜恩湛 金辑五 金藻文 钱履庆 余守邦

吴叔英 唐人杰 顾巨仁 潘铭之 吴梓臣 周业勤[20] 周孝渊

周孝芬女士 周孝杰 周孝卓 周孝恭 周荣欣女士

张镜人 吴念劬 袁彦洪 陈少柏 郑华枝 郑轼彛 郑　庭

黄膺伯[21] 黄膺白夫人 黄伯樵夫人 朱炎之夫人 葛敬恩[22]

孙嘉禄[23] 陈福海 沈　良 邱载生 孙嘉德 黄秀峰[24] 郑仲瑜

陈元伯[25] 赵炎午[26] 欧阳正明 常　惺[27] 持　松 张子美

许世英[28] 赵铁桥[29] 许崇智[30] 吴志芬女士 吴志芳女士

吴志兰女士 吴志廉 吴志忠 吴志琪 徐　琦 陈仰和

张寅谷 富振远 蔡伯华 何增祥 简玉阶[31] 简竹轩女士

简竹坚女士　简竹漪女士　简仲举　简元祐　梁惠英女士

何芳圃[32]　何炽昌　何汉昌　何鑽星　何锡昌　何息庐　何俊良

沈淑贞女士　沈镇珠女士　沈丽珠女士　沈守成　沈守德

曹仁泽　施翔林　包挹青　钱峙东　冯懋熊　程子帆　谢翔鸣

张邵棠　张树熊　钱联元　余文亦　王化莹　杨炳南　关敬元

耿德森　徐　琦　施庆宝　刘孔怀　刘雨原　茅思源

注释

① 关絅之（1879—1942 年）：名炯，字絅之，又字别樵，汉阳人。其父关棠，字季华，为汉阳名儒，人尊为“汉阳先生”。徽明先生昆仲皆师从“汉阳先生”。后求学于教会博文书院，致力于中西实用之学，在武昌创办民办普通中学和速成学堂，有“小汉阳先生”之称，深得张之洞赏识。以同知入幕上海道袁树勋，1904 年 2 月被委上海公共租界会审公廨谳员，断续主审公廨至 1927 年。为人为官，刚正清廉，以黎黄氏、五卅两案最着。传为关羽之后裔，人也尊之为“关老爷”。任致柔拳社名誉社长。

关絅之姐关静之，幼时许配给宋康丰，宋公子未成年即夭折，关静之成年后，回到湖北宋家，抱着宋公子木牌成婚，从一而终，从此皈依佛门，长斋念佛。湖北宋家即赵朴初的外婆家的娘家。赵朴初的母亲陈仲瑄与关静之结金兰交。陈仲瑄及笄，嫁给安庆太湖赵炜如，生长子即赵朴初。赵朴初由此喊关静之为大姨，喊关絅之为舅舅。赵朴初在沪其间，随关静之常住关絅之家。

二水按：二百年前，在武汉一家书院内，班主任大桴山人陈诗老师，一定是位非常神奇、非常魔法的老师，班级里两位同是陈姓的学生，一位高中状元，一位高中探花。陈仲瑄的曾祖父陈銮，字玉生，嘉庆二十五年殿试探花及第。与陈徽明的曾祖父陈沆，字太初，号秋舫，嘉庆二十四年己卯恩科殿试状元。两人同系“楚北大儒”陈诗的门生。

一百多年前，状元的曾孙陈曾榖，在杭州南湖的家中，喜添千金。名叫陈邦织。探花的曾孙女陈仲瑄在安庆的太湖家里，为宋皇室赵家生下了一位公子，名叫赵朴初。赵家的公子，与陈家的千金，或许一辈子都不知道，他们的五世祖，曾经是一个班级里的同班同学。当年陈诗老师班级里的两位陈姓学霸，或许手足情深，或许恩怨情仇，但他们一定无法料到他们的五世孙辈，也会在沪上另一位陈姓的老师班级里，也能成为同学，最后缘结并蒂，牵手走完一生。而这位陈姓老师，叫陈曾则，是赵朴初老岳丈陈曾榖的二哥。他教的课程，叫太极拳。他们皆应致柔拳社而结缘。

② 王一亭（1867—1938 年）：名震，号白龙山人、觉器，吴兴人（今浙江湖州），画家。早年入同盟会，资助辛亥革命和二次革命，为上海商界名流。一生虔信佛教，中国佛教会执行委员兼常委，连任上海居士林副林长、林长，上海佛学书局董事长。书画得徐小仓指点，后与任颐、吴昌硕友善，擅人物、花鸟、山水，尤擅佛像。晚年，潜心作画并致力于各种慈善事业，与他人共办华洋义赈会、孤儿院、残疾院、中国救济妇孺会、同仁辅元堂、普善山庄等。“八·一三”事变后，他发起组织难民救济会，筹设难民收容所。

③ 徐冠南：祖籍上虞，雍正年间迁乌镇，业米行、香饼发家。至徐冠南，转业银行、房地产业，1918 年徐冠南在杭州发起创立浙江储丰银行，在湖州设立分行。民国初年，徐冠南资财已达七百五十万银元，成为大上海首屈一指的富户。民国十三年遭绑票，化巨额赎金赎回。徐冠南乐善好施，曾提携茅盾进商务书馆。上海英租界工务局开拓苏州河一带市容时，徐冠南捐银赠地，以“乌镇”命名桥路。民国二十九年,徐冠南病逝于沪上。

④ 聂云台（1880—1953 年）：名其杰，号云台，湖南衡山人，曾国藩的外孙。1883 年即随父聂缉槼住上海，秉遵外祖父曾国藩“宁可讨饭也不为官”遗训，于商海中沉浮砺炼，开办银行，经营航运，开发矿产，从事纺织。他所经营的机械制造、电力、商业、金融等一系列企业，均因取得成就而名声大噪。1920 年任第一任上海总商会会长。于 1942、1943 年间为劝诫世道人心，撰写《保富法》一书，在上海《申报》上连载，激荡时人之

心，募捐公益，各界名流纷纷响应，一时传为佳话。

⑤ 沈星叔：亦作“惺叔”，与关絅之友善，时任江苏监狱感化会会长。与关絅之、王一亭等发起上海佛学居士林。

⑥ 江味农（1872—1938 年）：名忠业，一名杜，号定翁，法名妙熙、胜观。江苏江宁人。幼读儒书，1918 年始信佛教，随白普仁喇嘛在沪、杭、湘、鄂等地弘扬藏密。1931 年任上海省心莲社社长，常在社中讲经，一生教宗般若，行在净土。著《金刚经讲义》印行。

⑦ 李云书（1867—1935 年）：名厚佑，镇海小港李氏第三代。早年在慎余钱庄学徒时，与王一亭相交莫逆。经营奉锦天一垦务公司，官衔四品分部郎中。1902 年为上海商业会议公所议员。1906 年，当选上海商务总会总理。1908 年执业为商船会馆。受王一亭等影响，加入同盟会。1912 年 5 月，当选上海总商会议董，任期内辞职。1917 年 5 月，当选上海总商会会董，任期内辞职。1924 年 8 月，被列为总商会特别会董。沪上商界称其为“李家阿大”。1925 年 7 月 20 日，致柔拳社迁址至新闸路李诵清堂路二百二十五号。李诵清堂路，即今上海陕西北路、江宁路、西康路、新闸路、武定路、安远路、长寿路附近 60 亩地产，即系李云书所购置的地产，故其路以其个人名号命名。名录中“李祖端、李祖白、李祖冰、李祖眠、李祖定、李祖农”，都是沪上“小港李氏”皆系其子侄辈人。

⑧ 赵云韶（1884—1964 年）：浙江黄岩人，佛门居士，杭州城皇山常寂光寺高维均法师的弟子。1921 年经维均法师的推荐，为上海佛门居士、南洋兄弟烟草公司创办人简照南、简玉阶兄弟创建功德林蔬食处。1922 年农历四月初八释迦牟尼诞辰日，功德林开张，赵云韶任经理，以“宏扬佛法，提倡素食、戒杀放生”为宗旨，潜心研究，集体创制了 300 多种素菜新品种。

⑨ 谢泗亭：1918 年与周舜卿、沈星叔、王与楫、关絅之等发起创立上海佛教居士林。1921 年将佛教居士林改组为“世界佛教居士林”和“佛教净业社”两大居士团体。

⑩ 向恺然：早年从王志群学南拳，1925 年入致柔拳社，从微明先生学习太极拳，年底在上海得见离别多年的老师王志群，王从吴鉴泉学得吴式太极拳，于是复从其学吴式太极拳。其间听王志群道听途说，撰写《近代侠义英雄传》，前文“太极拳源流之补遗及小说之辩正”中，微明先生有所驳斥。1930 年 3 月 28 日《新闻报》刊载陈微明致向恺然信，称：“数年未见，每于友人中探兄踪迹，近始知在北平研究太极拳”，详见答问之注“不肖生”条。

⑪ 顾联承（1889—1943 年）：又作顾联丞，浙江南浔人。百乐门大饭店舞厅董事长。

⑫ 伍梯云（1887—1934 年）：名朝枢，广东新会人，伍廷芳之子，民国外交官、政治家、书法家。1926 年 5 月，中山舰事件后，其在政争中败北，辞任国民政府委员、军事委员会委员、司法委员会委员、广州市政厅委员长等职，寓居上海。其间从微明先生学拳。

⑬ 谢慧生（1876—1939 年）：四川富顺人，名振心，字铭三，后字愚守、慧生。1907 年加入同盟会，与熊克武等同盟会员密谋成都起义，1909 年出任中国公学学监。1911 年重庆独立后，任蜀军政府总务处长。1913 年 6 月后，与黄复生在北京参加谋刺袁世凯，1917 年任护法军政府元帅府参议、代理秘书长、司法部次长、代理部长等职。1919 年被任命为中国国民党党务部长。孙中山逝世后，为“西山会议派”要员。1927 年 9 月南京政府成立，任国民党中央特别委员会常委、国民政府委员。“九·一八”事变后，为全国一致抗战奔走。任国民党中央监察委员和国民政府委员。1939 年 4 月在成都病逝。

⑭ 邹海滨（1885—1954 年）：原名邹澄生，后名鲁，字海滨，广东大埔人，民国著名政治家。1908 年，邹鲁与朱执信策划广州新军起义，1911 年，武昌起义后，邹鲁与朱执信、陈炯明、胡汉民于广州起义。1923 年，孙中山电胡汉民、邹鲁等五人暂行总统府职权，邹鲁出任财政厅长。1924 年，任国立广东大学（现中山大学）首任校长。1927 年退出政坛，出游欧美。

1929 年回国，从微明先生学太极拳。1932 年，邀微明先生赴广东传授太极拳，开创太极拳入粤之先风。著有《中国国民党党史》《回顾录》《教育与和平》《邹鲁文集》《邹鲁文存》。

⑮ 余伯陶（1872—1945 年）：字德埙，号素庵，安徽歙县人。1900 年移居上海，在九江路开设诊所。1904 年与陈秉钧等共创上海医学会于小花园，辛亥革命爆发后，发起组织"医界助饷团"资助革命。1914 年北洋政府排斥中医，率先向全国中医界发出呼吁，联合 19 个省市代表组成"医药救亡请愿团"，迫使北洋政府收回成命。著有《疫病集志》《鼠疫治法》《急救便览》等书。

⑯ 黄太玄（1866—1940 年）：字履平，号剑秋，自署玄翁，求物治斋主人等，室名今野史亭，黄山人。作家，文章散见民初《大共和日报》《小说时报》《大众》等。擅书画，精辞藻，师从张裕钊。曾为刘三勘订《黄叶楼遗稿》，为吴杏芬作《唐母吴太夫人家传》，为钱名山作年谱。当时沪上被公认在书画届文笔最好的人，书画家每有文字之需，或多有求于他。为微明先生《太极剑》作序。

⑰ 钱瘦铁（1897—1967 年）：名崖，字叔崖，号瘦铁，以号行。中国画会创始人之一。擅长书画、篆刻，山水师法石涛，与吴昌硕（苦铁）、王冠山（冰铁），誉称"江南三铁"。

⑱ 李木公（1878—1949 年）：名国松，字健父，号木公，一号槃斋。安徽合肥人，系李鸿章之弟李鹤章孙，云贵总督李经羲子。初为马通伯弟子，后又投门陈散原，与陈病树、袁伯夔合称"陈门三杰"。李博雅好古，沉溺古文，曾藏书万卷并多蓄版碑旧拓、书画名迹。旧藏之《瘗鹤铭》拓本，今为上海图书馆镇馆之宝。著有《法言章义》《肥遁庐文集》等。名录中李蜚君，名国筠，系李木公舍弟，李骏孙、李竺孙、李榴孙皆为子侄辈人。

⑲ 任尚武（1895—1992 年）：名理卿，湖南湘阴人，任弼时的堂叔。我国第一代纺织专家，杰出的纺织教育家。1923 年庚款留美回国，1924 年任受聘为上海裕兴洋行工程师，后又受聘上海统益纱厂任总工程师其间，寓居

沪上，从微明先生学习太极拳。名录中袁仲斋、杜恩湛、金辑五、金藻文、钱履庆等，皆系上海统益纱厂高管。

⑳ 周业勤：中兴煤矿公司经理。名录中周孝渊、周孝芬女士、周孝杰、周孝卓、周孝恭等均系其子侄辈人。周孝芬后从叶大密老师习练武当对手剑。1927 年 4 月 26 日《申报》致柔拳社近讯称："七浦路二百八十八号致柔拳社，由陈微明君创办，业已两年。社员日渐增多，其中练习太极拳较久者，已能圆转自如，颇为雅观。察其运动之法，专尚务软，于养生实有莫大之利益。闻有中兴煤矿公司经理周业勤君之女公子，年十七八，本有精神衰弱之病，练习数月，精神渐好。此可见太极拳术之有益于身体，而于女子尤为相宜云"。"周业勤君之女公子，年十七八"，盖指周孝芬。

㉑ 黄膺伯：该系"黄膺白"之误。黄膺白（1880—1936 年），名郛，字膺白，号昭甫，浙江上虞人。民国政治家，毕业于日本东京振武学校，系蒋介石盟兄。曾任北洋政府代理内阁总理，并摄行总统职权。历任北伐军兵站总监、上海特别市首任市长、外交总长等。名单中的黄膺白夫人，沈亦云（1894—1971 年），名性真，又名景英，浙江嘉兴人，1906 年 7 月考取北洋女师范学堂。辛亥革命后，她和葛敬诚等人在上海组织女子北伐敢死队。陈其美在《申报》曾载文赞之："女子之身，有慷慨兴师之志。军歌齐唱，居然巾帼从戎；敌忾同仇，足使裙钗生色"。其时，黄膺白任上海特别市首任市长。黄伯樵任上海特别市公用局局长，他的夫人郑仲完，天津北洋女子师范毕业，与沈亦云同为女子北伐敢死队成员。朱炎之，时任上海特别市土地局长。数人一起从微明先生习练太极拳。

㉒ 葛敬恩（1889—1979 年）：字湛侯，浙江嘉兴人。与龚宝铨、计宗型等同学于秀水学堂，1903 年春，考入浙江武备学堂，1907 年与吴思豫等加入同盟会，1911 年参与领导了杭州、南京光复。民国临时政府成立，任兵站交通部长。时任国民革命军总司令部参谋处长、国民政府军事委员会参谋厅长。

㉓ 孙嘉禄：庚款留学生，与顾维钧同学于美国库克学院。时任沪杭铁

路机务总管、津浦路机务处长、上海市营造工业同业公会主任等。名单中的孙嘉德盖系其胞弟。

㉔ 黄秀峰：时任中央银行发行局副局长。

㉕ 陈元伯：该系“陈元白”之误植。陈元白（1877—1940年），民国军政界的著名佛学居士。原名裕大，字符伯，又名裕时，皈依佛门，法号元白。湖北宜昌人。随太虚抵上海，约章太炎、王一亭、刘仁航等名宿，成立佛学研究团体“觉社”。

㉖ 赵炎午（1880—1971年）：名恒惕，字夷午、彝午，号炎午，湖南衡永人。同盟会会员，历任湘军总司令、湖南省省长、国民政府军事委员会上将军事参议官、总统府国策顾问、资政等。佛学居士。

㉗ 常惺（1896—1939年）：高僧。俗家姓朱，法名寂祥，字常惺，江苏如皋县人。中法战争期间，在昆明成立“云南四众念佛会”，以念佛会的僧俗善信组成救护队，随军在战地救护伤患，1928年取道厦门回到上海，其时上海名流居士赵炎午、陈元白、李隐尘、董和甫等，请刚刚从由日本高野山学东密归来的持松法师，借觉园开坛传授真言仪轨，依持松法师修学密法，受密教灌顶。名单中的陈元白、赵炎午、欧阳正明、常惺、持松等，皆在修学密法期间，从微明先生习练太极拳。

㉘ 许世英（1873—1964年）：字静仁，号俊人，安徽秋浦人。历经晚清、北洋、民国三朝，宦游60余年，曾任民国国务总理，1926年辞任总理，寓居上海，参与组织反孙传芳的苏浙皖联合会，期间从微明先生习练太极拳。

㉙ 赵铁桥（1886—1930年）：原名猷，又名式金，四川叙永人。同盟会会员。时任国民政府建设委员。1930升任招商局总办被王亚樵暗杀。

㉚ 许崇智（1886—1965年）：字汝为，广州人。同盟会会员，历任民国军政府陆军总长、中央军事部长、广东省政府主席等。1929年游历欧美后，寓居上海其间，从微明先生习练太极拳。

㉛ 简玉阶（1877—1957年）：广州南海人。与其兄简照南共创南洋烟草

公司、创建功德林蔬食处等。名单中的简竹轩、简竹坚、简竹漪、简仲举、简元佑等，皆系子侄辈人。微明先生有诗《赠简竹轩竹坚》云："南海简家好姊妹，受业竹居今名儒，经学渊源九江法，著述严谨资楷模。门前桃李自殊众，举止温文娴且都。昔年从我习拳技，三月南去忽分殊。锦字时通不予弃，情意深切词婉纡"。

㉜ 何芳圃：杭州人，日本三井洋行中国买办，在沪上独资开设商号"何炎记"。家住上海西藏路504号。名单中何识昌、何汉昌、何鑽星、何锡昌、何息庐、何俊良皆系其子侄辈人或家丁。

第一届毕业姓名

赵敌七　秦光昭

第二届毕业姓名

钱慈严　胡朴安　孙闻远　戴俊卿

苏州分社社员姓名录

顾孟明　沈伯铭　陈侃雍　叶镜澄　叶景澄　施钝夫　钱受臣
陆仰苏　王赞侯　张燮明　陆节卿　严伯虞　洪仲舒　陆彦龙
曾松年　顾泰来　汤敏先　沈梅孙　沈庆年　吴垂基[1] 居吉庭
宗子恺　吴诗初　张旭庭　沈宗南

注释

① 吴垂基："吴兆基"之误，盖"兆"字行草，在手写体中，易误认作"垂"。吴兆基（1908—1997 年），字湘泉，湖南汉寿人，1912 年随父母迁居苏州，1931 年毕业于东吴大学，1941 年在苏州创办私立"肇基中学"，更名为"吴县县立第二中学"。1955 年后调江苏师范学院（今苏州大学）数学系任数学教授。幼承家学，喜好琴瑟笛箫，1920 年随其父吴兰荪，参加周梦坡之晨风庐琴集，拜识诸派操缦名手，倾慕吴浸阳之琴艺，遂执贽拜入其门，琴风融川、熟二派之长，潇洒恬逸，质朴古淡。1982 年与姑苏琴家徐忠伟、叶名珮、裴金宝等发起创立吴门琴社。自幼爱好武术，1928 年随微明先生习练太极拳，后又拜李香远为师。自创"归真太极拳""三元气功"。将太极拳气功与古琴操缦相融通，撰写《太极拳与古琴》等文。

第三届毕业姓名

翁壮明　李衡三　周孝芬　梁钧畴　李石华

第四届毕业姓名

徐文甫　陈铎民　赵祥庆　徐梅卿　张士德　方宽容

第五届毕业姓名

应厚伦　蔡和璋　郁敬德　杨佑之　陆书臣　秦曙声

第六届毕业姓名

朱星江　吕瑞庭　王廉方　金养田　全嗣龙　杨也乔　何瑞国　万甡先[①]

注释

① 万甡先：微明先生乡友万印楼（1883—1943 年）之子，与上文社员名录中“万兢先、万册先、万甡先、万兹先”，皆系同胞兄弟。万印楼，讳

昭广，字印楼，曾从读于微明先生之从兄陈曾望。光绪乙巳年，以知府需次浙江，丁母忧归。其父万中立，光绪甲午举人，出任江苏道员，收藏古彝器、汉魏石经盛富。万印楼长子万赫先，过继于堂兄万昭度（1875—1931年）。万喆先、万从先、万競先早逝，万甡先、万册先、万珏先、万兹先、万并先，皆求学国外，得博士硕士学位。微明先生《万君印楼赠罗汉册子为予五十生日诗以谢之》云：“令子荀龙四五辈，气息纯厚俱可喜，朝夕从我习拳技，江湖鬻食不予鄙”。借东汉荀季和八子如龙，以喻万氏八子。

广州分社姓名录

梁劲予[①] 陈少鹤 钟钧梁 潘枢润 翁重仁 翁廷威 路立纶
祁开仁 李子鸣 莫 鸣 符春熙 林 洪 吕 韶 何 鲁
余桂联 江泽霖 梁仕照 简英杰 苏星镗 梁邦尧 胡云倬
郭天扬 孙承洽 成符孟 邓君碧 陆秀山 区梓庭 吕舜文
陶毅夫 周勋臣 梁柱流 陈曾珠 林 雄 成啸田 陈益南
何日如 赵公璧 黎心彦 陈国榦 霍楚夫 赵颜芝女士
赵颜爱女士

注 释

① 梁劲予（1907—2003年）：名从业，号思庵，广东台山人，自幼习少林拳，随傅振嵩习龙形八卦掌及器械。1932年，陈微明应邹海滨之请，赴广州授拳，梁慕名而师事之，1933年随师回沪，入致柔拳社。其间从名医石筱山学伤外科。1938年迁居澳门，创立环中太极拳社。1948年移居香港，成立香港环中太极拳社，1985年离港移居美国。微明先生有《送梁君畴归广东》诗云："梁君慷慨士，雄迈过万夫。壮习少林术，老为武当徒。虽愈耳顺年，须发黑胜乌。过从三寒暑，拳剑得楷模。角术对壮佼，盛气未肯

输。豪饮人畏避，举觞恣酣呼。每会有君在，满座为欢娱”，晚年又撰文称他：“天性纯厚，能不变又能勤练余之所传……余老矣，虽从学者不下数千辈，而能成者绝少，此不得不望之于生也”，期盼殷切可知。

广州公安局

李节史　叶若霖　吴韵松　骆鸣銮　冯焯勋　关　民　刘秉纲
叶启芳　方书彪　王英儒　陈纪元　韦汝聪　黄孝馀　骆侠生
王尧勋　冯鹤荪　韦树屏　袁雪岩　伍少裴　陈燕樵　伍博爱
李锡明　王孝若　陈惠宣　覃燕樵　黄侣瑚　伍　蕃　梁耀祖
王挺乔

广州总司令部

雷　鸣　曾　强　朱　式　马　佩　曾如柏[①]　陈王昆　冯定一
龙在田　黎国才　邓庆镳　唐灏青　温泰华　陈克勤　李传唐
梁孝绳　梁端寅　田渭滨　刘炎蕃　叶在琛　叶植南　饶汉杰

注 释

① 曾如柏：名昭然，广西奉议（今田阳县）人，幼承家学，弱冠攻法律，获德国国立马堡大学法学博士学位，供职广西省教育厅，后任广东法学院院长等职。1932 年从微明先生学习太极拳。1934 年，促邀杨澄甫南下广州教拳，从杨澄甫、杨守中学拳。1960 年编著《太极拳全书》。

广西第四集团军办事处

粟豁蒙　庞宜之　阚宗骅　何致荣　唐崇慈　王逊志　陈嗣铸
刘云韶

中山大学四百余人

致柔拳社简章

本社取老子“专气致柔”之意，命名曰致柔拳社。

本社教授内家拳术、剑术、枪术，以流传国技，注重养生为宗旨。

凡性情和平，有恒心者，可入社学习，为本社学员。

本社以太极拳为基本教授拳术，愿学者必须报名缴费，本社同人方能教授，以示平等待遇，且免破坏本社之基础。

专为却病养生者，一年卒业，求体用兼通可作师范者，三年卒业。

凡来学者，分甲乙丙丁四种：甲、每星期学习六次；乙、每星期一三五，或二四六学习三次；丙、每星期学习二次；以上三种，星期日休息。丁、每逢星期日学习一次。

教授时间：上午七时至九时，下午四时至六时。

甲种学员：每月纳学费十元，第二年每月纳学费八元，第三年每月纳学费六元；

乙种学员：每月纳学费六元，第三年每月纳学费五元，第四年以后每月纳学费四元；

丙种学员：每星期内来学二次者，每月纳学费四元，第四年以后每月纳学费三元，以为有恒者劝。

如在未卒业期内，甲种欲改为乙丙丁种，乙改为丙丁，丙改为丁者，不适用逐年减费之例。

丁种学员，逢星期日来学者，或每星期内来学一次者，每月纳学费二元。

甲种学员以到社之日计算，满三年卒业。乙丙丁三种学员，以到社之日计算，满三年卒业（每年除休息日以三百日计算）。

每月学费，必须按月先缴。

卒业之后，由本社考验合格，给以凭证，将姓名登报宣布。

未卒业，及未经本社考验合格，不得在外教授及表演本社所授拳术，以败坏本社名誉。

约至外间教授者，另有简章。

如有愿赞助本社经费者，作为本社名誉社员。

已缴学费，自不来者，学费概不退还。

社长　陈微明

名誉社长　关炯之

教授　陈志进[①]

注释

①陈志进：生卒不详。田兆麟老师早年的弟子，后也从杨澄甫老师学拳，1927年11月，剑仙李景林来上海，叶大密老师约陈微明与陈志进一同向李景林学习武当对手剑法。陈志进美髯飘逸，掌大如蒲扇，一副仙风道骨相。陈微明《太极拳术》合步推手七幅照片、大攦第三、第四幅照片中，白衣美髯者，就是陈志进。当年上海拳界，昵称他为“陈大胡子”。众多的杨家师兄弟中，几无人能逃脱陈大胡子的“按劲”。抗战全面爆发后，陈购置庐山别墅，离开孤岛上海，过起渔樵耕读的隐居生活。临行，与叶大密老师道别，两手又作手谈。就这一次，陈大胡子的按劲怎么也不能在叶老师身上发挥其威力来。陈大胡子爽朗地笑了：“伯龄，你的功夫大进啦！”抗战结束后，经多方打听，从庐山传来的消息说有一须髯道士，坠落山崖致死。叶大密老师说，没想到自此一别，竟成永诀！微明先生也是在其过世后三年，才知其死讯，有诗曰：“陈君共事久，率真兄坦豁”“哀闻墓宿草，死生永契阔”。

致柔拳社出外教授简章

本社自开办以来，不过年余，入社者已达数百人，沉疴者得起，委靡者复振，而外间约请往教者，亦有多处，以时间未能分配竟，有未敢应允者，良用慊然，本社提倡太极拳术，以其与养生实有绝大之功效，故于前定简章，特标“有恒”二字，盖非一朝一夕之功也。今以学者约往教授，或有一月半月即停止者，本社同人徒劳往返，而他处愿学者反以无暇谢绝，旷日费时，两无所益，今特定出外简章，约者如能遵行，非特本社之幸也。

○ 出外教授，必须正式具函约请，声明遵守本社定章，签名盖章以示郑重。

○ 定章本以三年卒业，专为养身者，一年卒业，出外教授事同一律，惟最少期限须在六个月以上（以一百八十日计算）。

○ 本社定有教授程序，学者须按照程序学习，不得躁急。

○ 出外教授，须在六人以上，如六人以下，亦须照六人缴费，六人以上照加。

○ 每日学习者，每人每月学费十元。一星期内学三次者，每月学费六元。一星期内学二次者，每月学费四元。每星期一次者，每月学费二元。

○ 学费必须按月先交。

○ 道路太远，电车不通之处，每日学习者，每月加车费八元。间日学者，加车费四元。一星期二次者，三元。一次者，二元。

○ 六个月届满，继续或停止，须前十日通知本社。

○ 教授时间，每次约一小时。钟点随时商定。

○ 本社教授惟微明、志进二人担任，并无第三人在外私相传授，兹为对外教授之责任与名誉，及本社内部之诚信起见，不得不郑重声明。故出外教授，必须按照第一条正式函约，经本社复函应允者，方为有效。

社长：陈微明

教授：陈志进　共订

致柔拳社三年毕业课程

本社创办以来，于兹二年有余，入社者不下八九百人，然有恒心及不间断者，不过数人而已，其余均来去无常，或作或辍。虽学者宗旨各有不同，然恐数年之后，成就绝少，于微明创办兹社，流传国技之初心，殊有未合。细察现今学员，颇不乏真实求功夫者，特定教授课程，分年教授，三年毕业，列之于右：

甲种：

第一年级：太极拳 不动步推手 太极剑

第二年级：太极长拳 动步推手

第三年级：大擺散手　对剑　太极枪

每一年除星期及年节假期外，以三百日计算

乙丙丁俱照规定到社之日期计算，均以满三百日为一年。

若三年之内，改动种类，亦须按照规定之日期计算，若满一年（即三百日），方能授第二年课程，满二年方能授第三年课程。

本社设有画到薄，以凭计算到社之日期。除甲种每日画到外，若乙丙丁三种于规定到社日期画到，若有时欲借本社练习者，不必画到。

本社学员，三年学习期满，考验合格，照章即予毕业。毕业之后，将姓名登报宣布。作为本社社员，以后来社研究，不再取费，惟应缴之学费，必须按照章程缴足，方能毕业。

说明

王宗岳先生《太极拳论》云：“数年纯功或不能运化”，可见太极拳运化之难。三年毕业，乃至短期限，不过知其规矩准绳耳。第一年太极拳为基础，习之一年，则姿式不差，腰能转动，不动步推手亦练腰也。第二年太极长拳，则动步时，多兼练步之灵活，动步推手亦练步也。太极拳习之烂熟，方能学长拳，不然恐彼此牵混而杂乱矣。第三年大攦，求四隅之变化，散手以应敌，太极拳之规矩尽此矣。神而明之，则存乎其人。甚望继起者，能发明而光大之也。太极拳姿式不差，即可学剑，故列之第一年。太极枪及对剑，非动步推手纯熟不能学，故列之第三年。

丁卯秋八月 陈微明识

著　者　陈微明
发行者　致柔拳社
印刷者　中华书局
代售处　棋盘街启新书局
大马路华德钟表店
各大书坊
定价大洋一元二角

李存义武学辑注

（五行连环拳谱合璧　三十六剑谱　岳氏意拳五行精义）

李存义 著　阎伯群 李洪钟 校注

形意武术教科书

张占魁 著　吴占良 校注

薛颠武学辑注

（形意拳术讲义　象形拳法真诠　灵空禅师点穴秘诀　五行拳）

薛 颠 著　王银辉 校注

（第二辑）

陈氏太极拳图说（详注版）

陈 鑫 著　陈东山 杜修鸿 陈晓龙 校注

太极拳释义

董英杰 著　杨志英 校注

太极拳势图解

许禹生 著　唐才良 校注

（第三辑）

形意拳术

李剑秋 著　王银辉 校注

形意拳术抉微

刘殿琛 著　王银辉 校注

阎道生武学辑注

阎道生 著　阎伯群 校注

（第四辑）

○结合易学、黄帝内经、诸子经典、宋明理学详细注解
○阐释太极拳理论由初创到繁荣、再至巅峰的发展过程
○对太极拳源流、内涵、功法重做界定与分野
○揭示了隐匿于武学深处的理论依据

王宗岳太极拳论

李亦畬　著　　二水居士　校注　　定价：50 元

“老三本”太极拳谱是太极拳历史上的里程碑，它开启了近代太极拳开枝散叶的发展过程，堪称太极拳“元”理论。本版以“老三本”中流传最广、影响最大的李亦畬手抄、郝和珍藏本为基础，参合央视《寻宝》节目中的民间国宝“启轩藏本”及坊间流传的相关内容，为老三本做一次精彩的亮相。

太极功源流支派论

宋书铭　著　　二水居士　校注　　定价：68 元

宋书铭所传拳谱，据传为其祖先宋远桥所手记。民国初年始宣于世，各家多有抄存留世。本版选用范愚园抄本。此谱直接与《王宗岳太极拳论》《太极法说》相互关联，可以作为深入探寻太极拳理论的比较研究文本。

太极法说

二水居士　校注　　定价：65 元

此谱俗称三十二目，为杨氏家传拳谱，具备独特的拳学概念，阐述了太极拳的至尊拳理。本版选用吴鉴泉题签“太极法说”为底本，参合杨振基“杨澄甫家传的古典手抄太极拳老拳谱影印”、杨澄甫《太极拳使用法》、董英杰《太极拳释义》、田兆麟《太极拳手册》等相关资料，加以点校注释。

（第一辑）

手臂录

吴殳 著　刘长国 校注

手战之道

赵晔 沈一贯 唐顺之 何良辰 戚继光 黄百家 黄宗羲 著

王小兵 校注

（第二辑）

百家功夫丛书

张策传杨班侯太极拳108式（配光盘）

张喆 著　韩宝顺 整理　定价：48元

○民国宗师“臂圣”张策传功，其堂弟张喆著书，集太极、通臂之大成

○第三代嫡传人韩宝顺系统整理并配以影像

○套路招式、实战用法、推手演练，阐明呼吸吐纳之法，助习练者掌握太极拳的心法要领

○持之以恒，更可促进体内各器官的生理作用，对养生健体大有裨益

河南心意六合拳（配光盘）

李洳波 著

○国家级非物质文化遗产，展现回教武术文化

○继承河南马派心意拳传系，保持古朴原始的拳术风貌，以十大形、七小形、多种功、技、法、式为主要传承载体

○收录“岳武穆王九要论”等多篇口传秘诀，以及马派宗师马学礼、吕瑞芳传奇轶事

（第一辑）

张鸿庆形意五行拳释秘　邵义会 著

张鸿庆形意十二形释秘　邵义会 著

形意八卦拳　贾保寿 著

杨式太极拳内功心法　　　　胡贯涛　著
戴氏心意拳功理秘技　　　　王　毅　著

（第二辑）

华岳心意六合八法拳　　　　张长信　著
程有龙传震卦八卦学　　　　奎恩凤　著
王映海传戴氏心意六合拳　　王映海　王喜成　著

（第三辑）

民间武学藏本丛书

守洞尘技
山西通臂拳谱
心一拳术
福建少林寺武术

（第一辑）

老谱辨析点评丛书

再读孙禄堂《拳意述真》
再读王宗岳《太极拳经》
再读戚继光《三十二式》

（第一辑）

《通臂拳谱》注释点评

《守洞尘技》注释点评

《少林拳谱》注释点评

（第二辑）

民国武林档案丛书

尚武一代——中华武士会健者传

太极旧事

（第一辑）

拳道薪传丛书

三爷刘晚苍——刘晚苍武功传习录

我师金仁霖

习武见闻与体悟

（第一辑）

图书在版编目（CIP）数据

陈微明武学辑注——太极答问 / 陈微明著；二水居士校注.——北京：北京科学技术出版社，2016.6

（武学名家典籍丛书）

ISBN 978-7-5304-8219-3

Ⅰ.①太… Ⅱ.①陈… ②二… Ⅲ.①太极拳－问题解答 Ⅳ.①G852.11-44

中国版本图书馆 CIP 数据核字（2016）第 040610 号

陈微明武学辑注——太极答问

作　　者： 陈微明
校 注 者： 二水居士
策　　划： 王跃平　常学刚
责任编辑： 王跃平
责任校对： 贾　荣
责任印制： 张　良
封面设计： 张永文
版式设计： 王跃平
出 版 人： 曾庆宇
出版发行： 北京科学技术出版社
社　　址： 北京西直门南大街 16 号
邮政编码： 100035
电话传真： 0086-10-66135495（总编室）
0086-10-66113227（发行部）　0086-10-66161952（发行部传真）
电子信箱： bjkj@bjkjpress.com
网　　址： www.bkydw.cn
经　　销： 新华书店
印　　刷： 保定市中画美凯印刷有限公司
开　　本： 787mm×1092mm　1/16
字　　数： 169 千
印　　张： 18.5
版　　次： 2016 年 6 月第 1 版
印　　次： 2016 年 6 月第 1 次印刷
ISBN 978-7-5304-8219-3 / G·2397

定　　价：75.00 元